中国語らしい発音になる！

四声完全マスター

胡　興智　著

コスモピア

四声が正しくなくては伝わらない
——声調なくして成長なし

何年か前、レベルチェックのために学校に来られた方が、大変「流暢な」中国語でたくさん話してくださったのですが、どう返事したらよいのか困ってしまったことがありました。有気音と無気音、また、日本人が苦手な [zh]、[ch]、[sh] の発音は問題なかったのですが、「四声」（声調とも言います）の乱れが激しく、何を話されているのか理解しにくかったのです。

またある日、ある学生が“我完了。Wǒ wán le.”（私はもうおしまいだ）と言っていたので、「どうしたの？」と心配して聞いてみると、“我忘了。Wǒ wàng le.”（私、忘れた）の間違いでした。もちろん、[n][ng] の違いもありますが、「四声」の違いが決定的でした。また、“我在日中学院学汉语（Hànyǔ）。”（私は日中学院で中国語を勉強しています）と言うつもりが“我在日中学院学韩语（Hányǔ）。”（私は日中学院で韓国語を勉強しています）となってしまっているのは、まさに“哭笑不得”（笑っていいのか泣いていのか）でした。

中国語の「四声」は日本語のアクセントに似ていると言われていますが、先日、日本語教師をしている学生に「中国語の四声は日本語の『てにをは』と似ている性質があるように思えます。日本語では＜彼に聞く＞と＜彼は聞く＞とでは意味がまったく違ってきますが、中国語の四声にも、それと同じような厳しさがあると思います」と言われました。「間違えれば通じない」、それよりもっと怖いのは、「誤って伝わってしまう」ことであるという点に関しては、うなずける点があり、大変感心しました。

現に多くの方々は「四声」に大変悩まされています。日本人にとって「四声」は中国語を学ぶ上で難関のひとつだと言えましょう。
語学はスポーツのようなもの。試合に出るためには普段の練習が不可欠です。野球で言えば、素振りをまったくせずにホームランは打てませんね。練習すればするほど強くなり、面白くなり、楽しくなります。その練習用の素材を提供し、どのような順番で学ぶと効率的か、また効果的な学習方法がわかるよう十分考慮した上で、この練習帳を作成しました。そしてその中で、「四声」に悩んでいる皆さんがより効果的に学べるよう、たくさんの工夫をしました。
幸い、中国語学習者でもあるコスモピアの坂本さんの賛同を得ることができ、様々な助言をいただくことができました。また、日本に留学中の張好さんと呂叢さんから素晴らしいアイデアをいただき、多くの作業を担当していただきました。編集作業に尽力してくださった川田さん、ご多忙のところ、録音を快諾してくださった容文育先生、矢島雅弘さん、及びスタッフの皆さんの努力がなくては、この本は完成しませんでした。心から深くお礼を申し上げます。
自分の名前の胡興智（ココーチ）の如く、私は、しょせん小さなコーチにすぎないのですが、皆さんが試合で素晴らしい力が発揮できるよう祈りながら、トレーニングのお手伝いをしていきたいと思います。この本でトレーニングして成長を成し遂げた皆さんの姿を想像しながら、コーチ修行をして参ります。
本書は、2014 年出版の『声調完全マスター』を増補改訂して『四声完全マスター』として新たに刊行したものです。
言葉は、一生遊べるおもちゃのようなものでもあります。一緒に焦らず学ぶプロセスを楽しみながら、学んでいきましょう。

2019 年 12 月
小コーチ（胡　興智）

目次

基礎トレーニング編 19

Part 1 二音節の四声トレーニング

Part 2 三音節の四声トレーニング

Part 3 四音節の四声トレーニング

Part 4 五音節などの四声トレーニング

実践トレーニング編

本書の基本的な考え方

本書は、中国語の基礎的な部分をひととおり学習したことがある方で、「四声」をマスターしたいと切望する方が「四声」をトレーニングするための練習帳です。「四声」をマスターするとコミュニケーションする際、特に会話をするときに、より正確に、かつ自然に自分の気持ちを伝えることができます。

この本を通し、与えられたメニューに沿って気持ちよく汗を流しながらトレーニングすることで、まるでスポーツをした後のようなす爽快感、達成感を味わうことができます。この練習帳は、“纸上谈兵”（机上の空論）ではなく、紙上のプール、コート、グラウンドといったトレーニングの場であるとイメージしてください。

本書には練習に使える楽しい素材がたくさんあります。練習すれば上達する実感、達成感を味わうことができます。量の変化が質の変化を起こすのです。

中国語の四声とは

中国語の“普通话”（標準語）の音節は、母音と子音からなっています。日本語にはない母音、子音もあるので、新たにチャレンジをしなければ身につかないものもあります。発音の中でも「声調」つまり、音の上げ下げを表すアクセントの習得が、「より正しく、より美しく」発音し、中国語が「わかる」「できる」「つながる」ことへのステップとなります。声調は、以下の４つがありので「四声」とも言われています。

第１声	第２声	第３声	第４声

mā	má	mǎ	mà

「四声」は、日本語のアクセントの「箸」と「橋」のような違いだと思われがちですが、それよりもずっと厳しいと考えてください。関西弁は全国の人が理解できますが、中国語の発音を間違えて発音してしまうと、中国人にはまったく理解できません。完璧に習得する覚悟で練習しないと、中国語がいつまでも通じないのです。

例えば「大雨が降って来た」「下大雨了」と言おうとして、“雨 yǔ”のことを“鱼 yú”と発音してしまうと、聞いた人の脳裏には「天から大きな魚がいっぱい降ってきた」という絵が浮かんでしまい、「雨」というイメージは一切、浮かびません。

また、「お尋ねします」の“请问 qǐngwèn”の“问 wèn”の第４声を曖昧に発音して、第３声の吻“wěn””に聞こえてしまうと「どうぞキスしてください」となってしまいます。イラストの場面ならまだしも、違う場面では大問題になりかねず、場合によっては、外国人の間違いと言っても、セクハラまがいの最悪の印象を与えてしまうでしょう。

「四声」を間違うと、間違ってしまう情報が伝わったり、誤解されたりすることがありますので、しっかりと取り込む姿勢が大切だと思います。

日本語にもアクセントがあるからと言って、音節が学びやすいとは言えません。現に多くの方々が「四声」に大変悩まされているので、「四声」をマスターすることは日本人にとって、中国語を学ぶいくつかの難関のひとつだと言えましょう。

日本語のアクセントは、ふたつ以上の音節がないと判断しにくい性質があるようです。また二音節の言葉だと、例えば「はし（橋、箸）」、「かき（柿、牡蠣）」、「あめ（飴、雨）」のように「高—低」または「低—高」のふた通り存在します。ところが中国語の場合は、ひとつの文字には基本的にひとつの「四声」があり、また二音節の場合には、その高低の組み合わせが15通りあり、その中には高い音の組み合わせが4つ（第1声と第4声の組み合わせ）、低い音の連続が3つ（第2声と第3声の組み合わせ）あります。なお本書では、軽声と“儿”化について、より自然になるように表記する工夫をしました。

今まで日本人の方に中国語を教えてきた経験から考えると、ほとんどの方が音節一つ一つを単独で発音するのはあまり問題がないようですが、ふたつ以上の音節をつなげて発音すると、ぶれたり、不安定になってしまうケースが多いように思えます。“一生二,二生三,三生万物”、つまり一音節が大丈夫なら、次に二音節の言葉を固め、それから三音節の言葉を制覇すれば、怖いものなしだと言えましょう。

「四声」が正しく発音できない原因は、人によっていろいろとあるように思えます。ひとつは漢字の正確な発音を覚えていないため、発した音が漢字の正しい発音と一致しない。また、日本語の発音に引っ張られて、いわゆる「母語干渉」があるため、日本語風な中国語になってしまうなどという理由があると考えられます。

「覚えていない」「間違って覚えている」「日本語的な発音になっている」なら、ポイントを絞って、繰り返しトレーニングすることによって、漢字の意味と発音が一体化され、「より正しく」「より美しく」発音でき、「わかる」だけではなく、コミュニケーションが「できる」、お互いに「つながる」中国語を手に入れることができると思います。

外国語を話すときの口の動きや音の出し方には、日本語と違うところがありますので、中国語らしい発音をラクに出すための筋肉改造も必要でしょう。

汎用性・実用性に富む素材

「心をとらえるためのひとつの道はことばである」（倉石武四郎）。その心を伝えるために、練習素材である語彙は、単純な言葉の羅列ではなく、日常のコミュニケーションでよく使う、汎用性の高い言葉を中心に、中国語検定試験やHSK試験でよく出る500語前後の中核語彙とする、約1000語の語彙から選びました。また、語順を含め文の構造にも考慮し、文法や表現が復習できるような言葉を入れるように工夫しました。

また、「他者の発見、自己の発見、つながりの実現」（『外国語学習のめやす』公益財団法人国際文化フォーラム発行）という外国語教育の理念に基づいて、自らの文化を振り返り、異文化に関心を持つきっかけとして、日本人が作った漢字語や日中文化融合の形の漢俳（中国語俳句）を入れる試みをしました。中国人にとっては古典でもあり、現在でもよく読まれている漢詩を取り入れ、コラムには、中国でよく使う地名・料理名・熟語、ことわざを紹介しています。

豊富なトレーニングメニュー

どのようにその素材を使ってトレーニングするのか、各ユニットには、「見ないで聞く」、「見ながら話す」、「聞きながらシャドーイングする」という具体的なトレーニング方法と注意点が書かれており、より効果的に楽しく練習するメニューを取り入れています。（→ *p*.12 ～「本書の構成と使い方」を参照）

リスニング、パラレルリーディング、シャドーイング、音読など

多くの素材には、ゆっくりした速さで読まれているものと、普通の速さで読まれているもののふたつがあり、それぞれ復唱するのに適切なポーズが置かれています。みなさんのレベルによって、使いやすい素材が選べるようになっています。

❶ **音声をよく聞いて中国語の四声の特徴を聴覚イメージとして捉えます。**

❷ **意味を確かめ、音声を聞きながら、テキストを目で追い、心の中で言ってみます。**

❸ **音声を聞きながら、テキストを目で追い、声に出して発音します。**
（パラレルリーディング、またはシンクロリーディングなどという方法です）

❹ **テキストを見ずに、音声の後を追って、声に出して発音します。**
（シャドーイングという方法です。最初は、音声に重点をおいてシャドーイングし、慣れてきたら、意味に重点をおいてシャドーイングするとよいでしょう）

❺ **テキストを見ながら、音読をします。**
（音読する自分の音声を録音して聞いてみると、自分の弱点がよくわかります）

上記のトレーニングの方法は、アイコンで示されます。（→*p*.12～「本書の構成と使い方」を参照）

日本語から中国語に素早く変換する

中国語で考える思考回路の構築が必要ですが、母語の意味、イメージを瞬時に正しく伝えるためには、切り替える速さも要求されます。また、通訳・翻訳という実践的なテクニックも身につけてほしいと思いますので、「日本語から中国語へ」のトレーニングも各ユニットの最後に取り入れるようにしました。言葉の意味をしっかりつかむだけでなく、覚えやすい単語帳の役割もありますので、活用していただければ幸いです。

話すための中国語文法・使える日常表現

コミュニケーションの助けになるように、日常の挨拶表現、旅行で頻出する表現、レストランで料理を注文するときに使う表現、家庭を訪問した際に使う表現、ショッピングで使う表現、ビジネスでよく用いられる表現もトレーニングの中に入れました。

また、会話の場面・表現の機能を考慮しながら、いままでに習った文法事項も、コミュニケーションの場から切り離されてあるのではなく、コミュニケーションの中で自然に使えるように、以下のようにトレーニングメニューの中核に取り入れています。耳と口でしっかり記憶して、適切な場面で、正しく発話できるようになってほしいと思います。

- **Part 1**　二音節……動詞と目的語の語順、副詞的に動詞を修飾する形容詞
- **Part 2**　三音節……形容詞の使い方、動詞文の否定、助動詞の使い方、連動文の使い方
- **Part 3**　四音節……介詞（前置詞）の使い方、助動詞の使い方、結果補語、様態補語、結果補語、方向補語
- **Part 4**　五音節と七音節……可能補語、“不”、“了”、二重目的語、兼語文、連動文、把構文、受身文

使いやすいダウンロードの音源方式

時間の長さ、トラック数が制限されているCD教材ではなく、MP3の音声ファイルをダウンロードして使えるようにしました。量的制限がないため、297個のMP3ファイル、合計6時間以上の音声の中に、多くの練習パターンを入れることが可能になりました。（ダウンロードの方法の詳細は*p.*18をご覧ください）

このように、本書では、バリエーションに富んだトレーニングの素材と方法を豊富に取り入れました。本書が皆さんとともに高みを目指して歩んでいくための友となれれば、幸いです。

本書の構成と使い方

1 四声のイメージ

中国語の漢字と四声のイメージが一致するように四声イメージを大きなアイコンで表しました。

第１声　第２声　第３声　第４声　軽声

2 トレーニングアイコン

各ページの最初にはトレーニングのヒントになるアイコンが置かれています。アイコンでは表していませんが、多くの音声にゆっくりの速さで読まれるものと、普通の速さで読まれるものの２種類があります。練習しやすい素材と練習方法をアレンジして、ご自分のペースにあわせて練習してください。

1  音声を聞く

2  意味を確認する

3  音声を聞き、テキストを目で追いながら心の中で読む

4 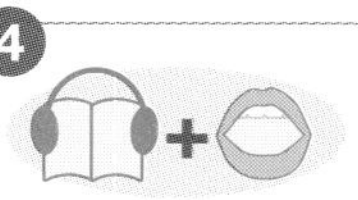 音声を聞き、テキストを目で追いながら声に出して読む

5 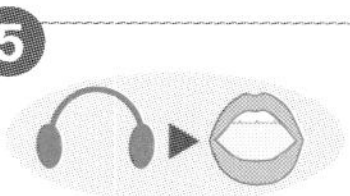 テキストを見ないで、音声のみを追いながらシャドーイングする

6 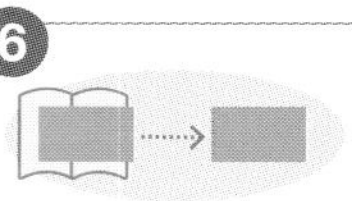 テキストを見て、音声を聞きながら、ポーズのところで復唱する

7 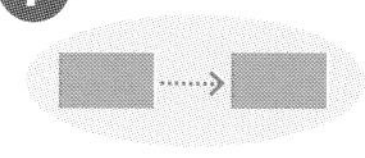 テキストを見ないで、ポーズのある音声を用いて復唱する

8  テキストを見ながら音読する

9  ランダムな音声を聞きながら、テキストを見ずに復唱する

10 

日本語の音声の後に中国語で言う

11 

ランダムな日本語の音声の後で中国語を言う

3 音声素材の標準的なパターン

「基礎トレーニング編」の標準的なパターン

1. 横（後ろの発音が変わるパターン）の列にそってゆっくり読む
2. 横（後ろの発音が変わるパターン）の列にそって普通の速さで読む
3. 縦（前の発音が変わるパターン）の列にそってゆっくり読む
4. 縦（前の発音が変わるパターン）の列にそって普通の速さで読む
5. 「日本語＋ポーズ＋中国語」を横の列にそってゆっくり読む
6. 「日本語＋ポーズ＋中国語」を横の列にそって普通の速さで読む
7. 「日本語＋ポーズ＋中国語」を縦の列にそってゆっくり読む
8. 「日本語＋ポーズ＋中国語」を縦の列にそって普通の速さで読む
8. 横の列にそって、「日本語＋ポーズ＋中国語」の順にシャフルして読む
9. 縦の列にそって、「日本語＋ポーズ＋中国語」の順にシャフルして読む
10. 全体を「日本語＋ポーズ＋中国語」の順にシャフルして読む

「実践トレーニング編」の標準的なパターン

1. 普通の速さで読む
2. ゆっくりの速さで読む
3. 意味のまとまりで復唱用のポーズを入れながらゆっくり読む
4. 意味のまとまりで復唱用のポーズを入れながら普通の速さで読む
5. 語句を声調の順に読む

4 各ユニットの標準的な構成とねらい

基礎トレーニング編

1. 四声イメージ＋ピンイン

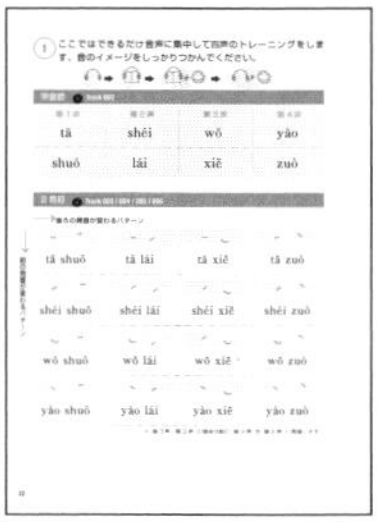

ねらい 四声イメージは、高い発音が連続した場合には、後のほうを「より高く」発音し、低い発音が連続した場合には、後の発音を「より低く」発音するルールで表記しました。これは発音のイメージをつかみやすくし、「より美しく」発音することができるようになるための工夫です。

ピンインだけを先に出すのは、漢字の視覚的情報を意図的に遮断することで、耳と口に集中して発音できる利点があるからです。

練習法の例

1.  テキストを見ずに音声を聞く
2.  音声を聞き、テキストを目で追いながら心の中で読む
3.  音声を聞き、テキストを目で追いながら声に出して読む
4.  テキストを見ないで、音声のみを追いながらシャドーイングする

2. 四声イメージ＋ピンイン＋漢字＋日本語

ねらい 中国語の漢字と日本語を一緒に出すのは、漢字と日本語の意味を確認しながら発音でき、言葉の意味と発音を一緒に覚えられるからです。

練習法の例

1. テキストを見ないで音声を聞く
2. 意味を確認する
3. 音声を聞き、テキストを目で追いながら心の中で読む
4. 音声を聞き、テキストを目で追いながら声に出して読む
5. テキストを見ないで、音声のみを追いながらシャドーイングする

3. 四声イメージ＋漢字

ねらい 四声イメージと漢字の組み合わせは、四声に気をつけながら、漢字の発音を思い出させます。漢字を見るとすぐに発音がわかるようにします。

練習法の例

1. 音声を聞き、テキストを目で追いながら心の中で読む
2. 音声を聞き、テキストを目で追いながら声に出して読む
3. テキストを見ないで、音声を聞きながらシャドーイングする
4. テキストを見ながら音読をする

4. 漢字

ねらい ひとつずつ漢字の発音と四声を覚えて発音できるようになったかどうかを確認し、自信をもって発音できるようにします。

練習法の例

1. 音読して、どのくらい読めるか試してみる
2. 音声を聞き、テキストを目で追いながらシャドーイングする
2. ランダムな音声を聞いて復唱する
4. テキストを見ないで、音声のみを追いながらシャドーイングする
5. 音読をする。できれば自分の音読する声を録音してチェックする

5. 日本語

ねらい 日本語を聞いて、すぐに中国語を言えるように訓練します。

練習法の例

1. 日本語を聞いて中国語にする
（できなかったら、あとから中国語が読まれるので、復唱する）
2. ランダムに読まれる日本語を聞いて中国語にする

実践トレーニング編

ある程度の長さをもった文章を、安定した四声で読めるようになるのがねらいです。

1. ピンイン＋漢字＋日本語

ねらい 意味を理解しながら、スムーズに読めるようにします。

練習法の例

1. 音声を聞き、テキストを目で追いながら心の中で読む
2. 意味を確認する
3. テキストを見ながら、ポーズのある音声を用いて復唱する
4. 音声を聞き、テキストを見ながら声を出して読む

2. 四声練習用の語句のリスト

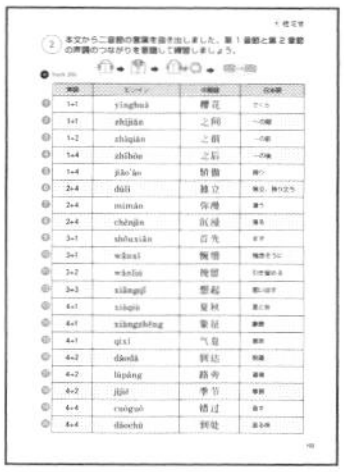

ねらい 長い文章の基礎になる語彙の四声を確認します。

練習法の例

1. 音声を聞き、テキストを目で追いながら心の中で読む
2. 意味を確認する
3. テキストを見ないで、ポーズのある音声を用いて復唱する
4. 音声を聞き、テキストを見ながら声を出して読む

3. ピンインのみ

ねらい 音声に集中して、口を動かします。

練習法の例

1. 音声を聞く
2. テキストを見ながら、ポーズのある音声を用いて復唱する
3. テキストを見ないで、ポーズのある音声を用いて復唱する
4. テキストを見ずに音声に集中してシャドーイングする

4. 漢字のみ

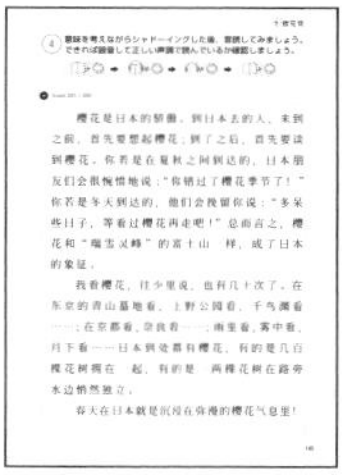

ねらい 漢字を見て四声を含む発音が、どのくらいできるようになったか試します。自分の弱点を重点的に練習して仕上げます。

練習法の例

1. 音読して、どのくらい読めるか試してみる
2. 音声を聞き、テキストを見ながら声を出して読む
3. テキストを見ずに意味を考えながらシャドーイングする
4. 音読をする。できれば自分の音読する声を録音してチェックする

音声ファイルの構成

ファイル名の説明 **slow** は「ゆっくり」、**normal** は「普通」の速さで読まれていることを表します。**shuffle** は「紙面とは順番を入れ替えてランダムに読まれていること」、**pause** は「復唱できるポーズがある」こと、**word** は実践トレーニングにおける「四声の順番に並んだ語句」を表します。

基礎トレーニング編

	ページ				
Part 1　二音節の四声トレーニング					
Unit 1　代名詞と動詞	21-26	002_slow	003_h_slow	004_h_normal	005_v_slow
Unit 2　形容詞と動詞	28-32	013_slow	014_h_slow	015_h_normal	016_v_slow
Unit 3　動詞と目的語	34-38	024_slow	025_h_slow	026_h_normal	027_v_slow
Unit 4　二音節の名詞	40-44	035_h_slow	036_h_normal	037_v_slow	038_v_normal
Unit 5　さまざまな二音節トレーニング	46-50	044_h_slow	045_h_normal	046_v_slow	047_v_normal
Unit 6　四声が違うと意味が異なる二音節	52-58	057_v_normal	058_v_slow	059_v_pause	060_v_J
コラム①　中国語の地名	59	063_h_normal	064_v_normal		
Part 2　三音節の四声トレーニング					
Unit 1　“真”が最初にくる三音節	62-66	066_h_slow	067_h_normal	068_v_slow	069_v_normal
Unit 2　“没”が最初にくる三音節	68-72	075_h_slow	076_h_normal	077_v_slow	078_v_normal
Unit 3　“想”が最初にくる三音節	74-78	084_h_slow	085_h_normal	086_v_slow	087_v_normal
Unit 4　“去”が最初にくる三音節	80-84	093_h_slow	094_h_normal	095_v_slow	096_v_normal
Unit 5　四声が違うと意味が異なる三音節	86-89	102_v_normal	103_v_pause		
コラム②　三音節熟語	90	104_h_normal	105_v_normal		
コラム③　日常会話三音節の慣用表現	91	106_h_normal	107_v_normal		
Part 3　四音節の四声トレーニング					
Unit 1　「介詞」と「助動詞」を用いた四音節	94-98	109_h_slow	110_h_normal	111_v_slow	112_v_normal
		120_v_shuffle	121_h_J	122_v_J	123_h_J
Unit 2　「結果補語」のある四音節	100-104	127_h_slow	128_h_normal	129_v_slow	130_v_normal
Unit 3　「様態補語」のある四音節	106-110	136_h_slow	137_h_normal	138_v_slow	139_v_normal
Unit 4　「方向補語」のある四音節	112-116	145_h_slow	146_h_normal	147_v_slow	148_v_normal
Unit 5　さまざまな四音節トレーニング	118-121	154_v_normal	155_v_pause	156_v_normal	157_v_pause
コラム④　中国の料理名	122	162_h_normal	163_v_normal		
Part 4　五音節と七音節の四声トレーニング					
Unit 1　“不”と「可能補語」のある五音節	126-130	165_h_slow	166_h_normal	167_v_slow	168_v_normal
Unit 2　“了”「二重目的語」「兼語」のある五音節	132-136	174_h_slow	175_h_normal	176_v_slow	177_v_normal
Unit 3　「連動文」	138-142	183_h_normal	184_h_pause	185_h_J_normal	
Unit 4　「把構文」	144-148	186_h_normal	187_h_pause	188_h_J_normal	
Unit 5　「受身文」	150-154	189_h_normal	190_h_pause	191_h_J_normal	
Unit 6　日常会話の五音節慣用表現①	156-160	192_h_slow	193_h_normal	194_v_slow	195_v_normal
Unit 7　日常会話の五音節慣用表現②	162-166	201_h_slow	202_h_normal	203_v_slow	204_v_normal
Unit 8　五文字ことわざ	168-172	210_v_normal	211_v_pause	212_v_normal	213_v_pause
Unit 9　有名な漢詩	174-178	220_v_normal	221_slow_pause	222_normal_pause	223_v_normal
		231_normal_pause			
Unit 10　さまざまな五音節トレーニング	180-186	232_v_normal	233_slow_pause	234_normal_pause	235_v_normal
		243_normal_pause	244_v_normal	245_slow_pause	
コラム⑤　四声 三行日记五七五	187-190	250_normal	251_normal_pause	252_normal	253_normal_pause

実践トレーニング編

1	櫻花赞	192-195	258_1_normal	259_1_slow	260_1_word	261_1_slow_pause	262_1_normal_pause
2	春	196-199	263_2_normal	264_2_slow	265_2_word	266_2_slow_pause	267_2_normal_pause
3	秋天	200-203	268_3_normal	269_3_slow	270_3_word	271_3_slow_pause	272_3_normal_pause
4	过年	204-207	273_4_normal	274_4_slow	275_4_word	276_4_slow_pause	277_4_normal_pause

音声のファイルの名前と構成を下記に記します。各ページの Track の後には、各ファイルの最初の 3 ケタのファイル番号のみが書かれているので、ご注意ください。

略語について

v (vertical) は「縦の方向（ここでは上から下）」へ、**h (horizontal)** は「横の方向（ここでは左から右）」へ、**J** は「日本語」で読まれていることを示します。

006_v_normal	007_h_shuffle	008_v_shuffle	009_v_J	010_h_J	011_v_J	012_shuffle_J
017_v_normal	018_h_shuffle	019_v_shuffle	020_v_J	021_h_J	022_v_J	023_shuffle_J
028_v_normal	029_h_shuffle	030_v_shuffle	031_v_J	032_h_J	033_v_J	034_shuffle_J
039_h_shuffle	040_v_shuffle	041_h_J	042_v_J	043_shuffle_J		

048_h_shuffle	049_v_shuffle	050_h_4	051_h_8	052	053	054_h_J	055_v_J	056_shuffle_J

061_v_normal	062_v_pause					

070_h_shuffle	071_v_shuffle	072_h_J	073_v_J	074_shuffle_J		
079_h_shuffle	080_v_shuffle	081_h_J	082_v_J	083_shuffle_J		
088_h_shuffle	089_v_shuffle	090_h_J	091_v_J	092_shuffle_J		
097_h_shuffle	098_v_shuffle	099_h_J	100_v_J	101_shuffle_J		

113_h_slow	114_h_normal	115_v_slow	116_v_normal	117_h_shuffle	118_v_shuffle	119_h_shuffle
124_v_J	125_shuffle1_J	126_shuffle2_J				
131_h_shuffle	132_v_shuffle	133_h_J	134_v_J	135_shuffle_J		
140_h_shuffle	141_v_shuffle	142_h_J	143_v_J	144_shuffle_J		
149_h_shuffle	150_v_shuffle	151_h_J	152_v_J	153_shuffle_J		
158_v_normal	159_v_pause	160_v_normal	161_v_pause			

169_h_shuffle	170_v_shuffle	171_h_J	172_v_J	173_shuffle_J		
178_h_shuffle	179_v_shuffle	180_h_J	181_v_J	182_shuffle_J		
196_h_shuffle	197_v_shuffle	198_h_J	199_v_J	200_shuffle_J		
205_h_shuffle	206_v_shuffle	207_h_J	208_v_J	209_shuffle_J		
214_v_normal	215_v_pause	216_v_normal	217_v_pause	218_v_normal	219_v_pause	
224_slow_pause	225_normal_pause	226_v_normal	227_slow_pause	228_normal_pause	229_v_normal	230_slow_pause
236_v_normal	237_slow_pause	238_normal_pause	239_v_normal	240_normal_pause	241_v_normal	242_slow_pause

246_normal_pause	247_v_normal	248_slow_pause	249_normal_pause
254_normal	255_normal_pause	256_normal	257_normal_pause

5	书韵	208-211	278_5_normal	279_5_slow	280_5_word	281_5_slow_pause	282_5_normal_pause
6	面朝大海，春暖花开	212-215	283_6_normal	284_6_slow	285_6_word	286_6_slow_pause	287_6_normal_pause
7	匆匆	216-219	288_7_normal	289_7_slow	290_7_word	291_7_slow_pause	292_7_normal_pause
8	学外语	220-223	293_8_normal	294_8_slow	295_8_word	296_8_slow_pause	297_8_normal_pause

スマホでらくらく聞ける！
音声ダウンロードについて

●簡単な登録で、音声をスマートフォンや PC にダウンロードできます。

●アプリ「audiobook.jp」では、速度変更やくり返し再生を行うことができます。

音声をダウンロードするには、連携サイト audiobook.jp での会員登録（無料）が必要です。

下記の手順に沿って音声をご利用ください。

＊以前の「FeBe」が「audiobook.jp」とサービス名を変更しました。新しいアプリをインストールしてください。（ログイン後、以前の音声データも引き継がれますので安心してご利用ください）

対応機種
・PC（Windows/Mac）
・iOS（iPhone/iPad）
・Android（タブレット、スマートフォン）

このサイトにアクセス！
または「コスモピア シリアルコード」で検索！

https://audiobook.jp/exchange/cosmopier

1 audiobook.jp に会員登録（無料）

2 上記サイトで 8 桁のシリアルコード＊を入力

3 audiobook.jp の本棚からダウンロード
スマホの場合は、アプリ「オーディオブック」から！

＊ 8 桁のシリアルコード C0019011 をご入力ください

基礎トレーニング編

一音節の四声の練習から始めて、二音節、三音節、四音節、五音節の練習へと、少しずつ音節の単位を増やしながら、四声の練習をステップアップしていきます。

まず音声をよく聞いて、四声の音の変化のイメージを聴覚イメージとしてしっかり捉えた上で、声に出して練習をし、中国語本来の音に近づけていきましょう。

さまざまな方法で繰り返し練習するうちに、ひとつの漢字がもつ四声を身につけること、ある程度の長さをもった語句の中で四声の変化がなめらかにできるようになることの両面から基礎を固めることができます。

Part 1

二音節の四声トレーニング

ここでは頻出する代名詞、名詞、動詞、副詞、形容詞などの一音節の四声の練習からはじめ、二音節までのトレーニングをします。

最初の３ユニットでは、一音節の語を、第１声から第４声まで、ひとつずつ丁寧に練習した後、二音節の練習に移ります。

二音節の２番目にくる注意すべき四声のポイントを押さえて、二音節の語のつながりがスムーズにいくようにトレーニングします。

何ごとも最初が肝心です。第１声から第４声までの四声のイメージをしっかり捉えるとともに、あとから出てきたときに迷わないように、頻出語がどの四声で発音されるのか文字を見ただけでわかるように、確実に身につけておきましょう。

Unit 1

代名詞と動詞

このユニットの目標

- 一音節の四声を丁寧にマスターする。
- 一音節から二音節の流れをつかむ。
- 第 1 声が連続する場合 2 番目の第 1 声を「より高く」発音する。

▼このユニットで使う音声素材

002_slow ………… 縦に一音節ずつゆっくりと読読んだ後、次に続けて読む

003_h_slow ……… 二音節ずつ横にゆっくり読む

004_h_normal …… 二音節ずつ横に普通の速さで読む

005_v_slow ……… 二音節ずつ縦にゆっくり読む

006_v_normal …… 二音節ずつ縦に普通の速さで読む

007_h_shuffle …… 二音節ずつ横に順番をシャフルして読む

008_v_shuffle …… 二音節ずつ縦に順番をシャフルして読む

009_v_J ………… 一音節ずつ日本語を縦に読む（日本語のあとにポーズがあり、その間に中国語の発音をします。その後に中国語が読まれます。以下、同様）

010_h_J ………… 二音節ずつ日本語を横に読む

011_v_J ………… 二音節ずつ日本語を縦に読む

012_shuffle_J … 順番を完全にシャフルして日本語を読む

① ここではできるだけ音声に集中して四声のトレーニングをします。音のイメージをしっかりつかんでください。

単音節　Track 002

第１声	第２声	第３声	第４声
tā	shéi	wǒ	yào
shuō	lái	xiě	zuò

２音節　Track 003 / 004 / 005 / 006

……> 後ろの発音が変わるパターン

前の発音が変わるパターン

tā shuō	tā lái	tā xiě	tā zuò
shéi shuō	shéi lái	shéi xiě	shéi zuò
wǒ shuō	wǒ lái	wǒ xiě ※	wǒ zuò
yào shuō	yào lái	yào xiě	yào zuò

※「第３声＋第３声」の場合は前の「第３声」を「第２声」に発音します。

② 文字の意味を理解した後、テキストを見て、音声を聞きながら声を出すパラレルリーディングを中心に練習しましょう。

単音節 Track 002

第1声	第2声	第3声	第4声
tā 她 彼女	shéi 谁 誰	wǒ 我 私（僕）	yào 要 ～したい
shuō 说 話す	lái 来 来る	xiě 写 書く	zuò 做 する

2音節 Track 003 / 004 / 005 / 006

tā shuō 她 说 彼女が言う	tā lái 她 来 彼女が来る	tā xiě 她 写 彼女が書く	tā zuò 她 做 彼女がする
shéi shuō 谁 说 誰が言う	shéi lái 谁 来 誰が来る	shéi xiě 谁 写 誰が書く	shéi zuò 谁 做 誰がする
wǒ shuō 我 说 私は言う	wǒ lái 我 来 私は来る	wǒ xiě 我 写 私は書く	wǒ zuò 我 做 私はする
yào shuō 要 说 言いたい	yào lái 要 来 来たい	yào xiě 要 写 書きたい	yào zuò 要 做 したい

③ 音を聞いて声を出しながら、連続する二音節の四声を意識して、漢字を見れば四声がわかるまで、しっかり練習しましょう。

単音節　Track 002

第１声	第２声	第３声	第４声
她	谁	我	要
说	来	写	做

２音節　Track 003 / 004 / 005 / 006

ˉ ˉ 她 说	ˉ ˊ 她 来	ˉ ˇ 她 写	ˉ ˋ 她 做
ˊ ˉ 谁 说	ˊ ˊ 谁 来	ˊ ˇ 谁 写	ˊ ˋ 谁 做
ˇ ˉ 我 说	ˇ ˊ 我 来	ˊ ˇ 我 写	ˇ ˋ 我 做
ˋ ˉ 要 说	ˋ ˊ 要 来	ˋ ˇ 要 写	ˋ ˋ 要 做

④ Track 007 と 008 では音声がシャフルします。順番が入れ替わっても二音節の四声の発音が安定するように練習しましょう。

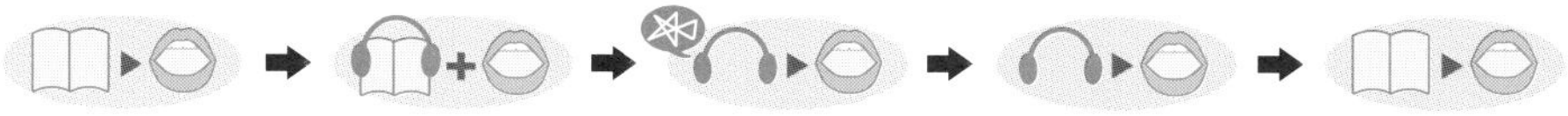

単音節 Track 002

第１声	第２声	第３声	第４声
她	谁	我	要
说	来	写	做

２音節 Track 004 / 006 / 007 / 008

她 说	她 来	她 写	她 做
谁 说	谁 来	谁 写	谁 做
我 说	我 来	我 写	我 做
要 说	要 来	要 写	要 做

＊横シャフル、縦シャフルの順番は *p*.224 を参照。

5 このユニットの力試しです。日本語の後にポーズがあるので、該当する中国語を声に出して言ってみましょう。その後に正しい中国語の発音が読まれます。後について声に出しながら確認しましょう。Track 012 は全部の語句をシャフルします。

単音節 Track 009

第１声	第２声	第３声	第４声
彼女	誰	私（僕）	～したい
話す	来る	書く	する

２音節 Track 010 / 011 / 012

彼女が言う	彼女が来る	彼女が書く	彼女がする
誰が言う	誰が来る	誰が書く	誰がする
私は言う	私は来る	私は書く	私はする
言いたい	来たい	書きたい	したい

＊日本語シャフルの順番は *p*.226 を参照。

Unit 2

形容詞と動詞

このユニットの目標

・一音節の四声を丁寧にマスターする。
・一音節から二音節の流れをつかむ。
・第 2 声が連続する場合、2 番目の第 2 声を「より低く」発音する。

▼このユニットで使う音声素材

013_slow ………… 形容詞、動詞を縦に一音節ずつゆっくりと読む

014_h_slow ……… 二音節ずつ横にゆっくり読む

015_h_normal …… 二音節ずつ横に普通の速さで読む

016_v_slow ……… 二音節ずつ縦にゆっくり読む

017_v_normal …… 二音節ずつ縦に普通の速さで読む

018_h_shuffle …… 二音節ずつ横に順番をシャフルして読む

019_v_shuffle …… 二音節ずつ縦に順番をシャフルして読む

020_v_J ………… 一音節ずつ日本語を縦に読む（日本語の後にポーズがあり、その間に中国語の発音をします。その後に中国語が読まれます。以下、同様）

021_h_J ………… 二音節ずつ日本語を横に読む

022_v_J ………… 二音節ずつ日本語を縦に読む

023_shuffle_J … 順番を完全にシャフルして日本語を読む

① ここではできるだけ音声に集中して四声のトレーニングをします。音のイメージをしっかりつかんでください。

単音節　Track 013

第１声	第２声	第３声	第４声
duō	nán	hǎo	kuài
tīng	xué	mǎi	kàn

２音節　Track 014 / 015 / 016 / 017

→ 後ろの発音が変わるパターン

↓ 前の発音が変わるパターン

duō tīng	duō xué	duō mǎi	duō kàn
nán tīng	nán xué	nán mǎi	nán kàn
hǎo tīng	hǎo xué	hǎo mǎi	hǎo kàn
kuài tīng	kuài xué	kuài mǎi	kuài kàn

② 文字の意味を理解した後、テキストを見て、音声を聞きながら声を出すパラレルリーディングを中心に練習しましょう。

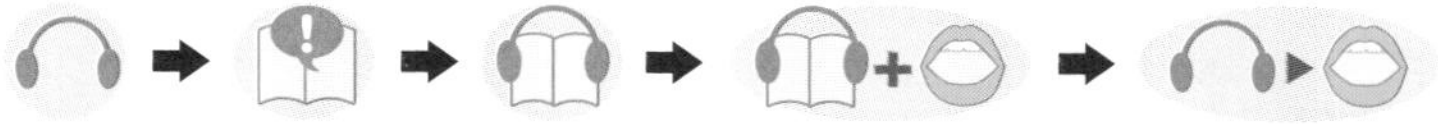

単音節　Track 013

第１声	第２声	第３声	第４声
duō 多 たくさん	nán 难 ～しづらい	hǎo 好 ～しやすい	kuài 快 早い
tīng 听 聞く	xué 学 学ぶ	mǎi 买 買う	kàn 看 見る（読む）

２音節　Track 014 / 015 / 016 / 017

duō tīng 多听 たくさん聞く	duō xué 多学 たくさん学ぶ	duō mǎi 多买 たくさん買う	duō kàn 多看 たくさん読む
nán tīng 难听 聞きづらい	nán xué 难学 学びにくい	nán mǎi 难买 買いにくい	nán kàn 难看 醜い
hǎo tīng 好听 聞いて心地よい	hǎo xué 好学 学びやすい	hǎo mǎi 好买 買いやすい	hǎo kàn 好看 美しい
kuài tīng 快听 早く聞く	kuài xué 快学 早く学ぶ	kuài mǎi 快买 早く買う	kuài kàn 快看 早く読む

③ 音を聞いて声を出しながら、連続する二音節の四声を意識して、漢字を見れば四声がわかるまで、しっかり練習しましょう。

単音節　Track 013

第１声	第２声	第３声	第４声
多	难	好	快
听	学	买	看

２音節　Track 014 / 015 / 016 / 017

ˉ ˉ 多 听	ˉ ˊ 多 学	ˉ ˇ 多 买	ˉ ˋ 多 看
ˊ ˉ 难 听	ˊ ˊ 难 学	ˊ ˇ 难 买	ˊ ˋ 难 看
ˇ ˉ 好 听	ˇ ˊ 好 学	ˊ ˇ 好 买	ˇ ˋ 好 看
ˋ ˉ 快 听	ˋ ˊ 快 学	ˋ ˇ 快 买	ˋ ˋ 快 看

4 Track 018 と 019 では音声がシャフルします。順番が入れ替わっても二音節の四声の発音が安定するように練習しましょう。

単音節 Track 013

第１声	第２声	第３声	第４声
多	难	好	快
听	学	买	看

２音節 Track 015 / 017 / 018 / 019

多 听	多 学	多 买	多 看
难 听	难 学	难 买	难 看
好 听	好 学	好 买	好 看
快 听	快 学	快 买	快 看

＊横シャフル、縦シャフルの順番は *p*.224 を参照。

5 このユニットの力試しです。日本語の後にポーズがあるので、該当する中国語を声に出して言ってみましょう。その後に正しい中国語の発音が読まれます。後について声に出しながら確認しましょう。Track 023 は全部の語句をシャフルします。

単音節 Track 020

第１声	第２声	第３声	第４声
たくさん	～しづらい	～しやすい	早い
聞く	学ぶ	買う	見る（読む）

２音節 Track 021 / 022 / 023

たくさん聞く	たくさん学ぶ	たくさん買う	たくさん読む
聞きづらい	学びにくい	買いにくい	醜い
聞いて心地よい	学びやすい	買いやすい	美しい
早く聞く	早く学ぶ	早く買う	早く読む

＊日本語シャフルの順番は *p*.226 を参照。

Unit 3

動詞と目的語

（ このユニットの目標 ）

・一音節の四声を丁寧にマスターする。

・一音節から二音節の流れをつかむ。

・第３声が連続する場合、１番目の第３声は第２声に発音する。

▼このユニットで使う音声素材

024_slow ………… 代名詞、動詞を縦に一音節ずつゆっくりと読む

025_h_slow ……… 二音節ずつ横にゆっくり読む

026_h_normal …… 二音節ずつ横に普通の速さで読む

027_v_slow ……… 二音節ずつ縦にゆっくり読む

028_v_normal …… 二音節ずつ縦に普通の速さで読む

029_h_shuffle …… 二音節ずつ横に順番をシャフルして読む

030_v_shuffle …… 二音節ずつ縦に順番をシャフルして読む

031_v_J ………… 一音節ずつ日本語を縦に読む（日本語のあとにポーズがあり、その間に中国語の発音をします。その後に中国語が読まれます。以下、同様）

032_h_J ………… 二音節ずつ日本語を横に読む

033_v_J ………… 二音節ずつ日本語を縦に読む

034_shuffle_J … 順番を完全にシャフルして日本語を読む

① ここではできるだけ音声に集中して四声のトレーニングをします。音のイメージをしっかりつかんでください。

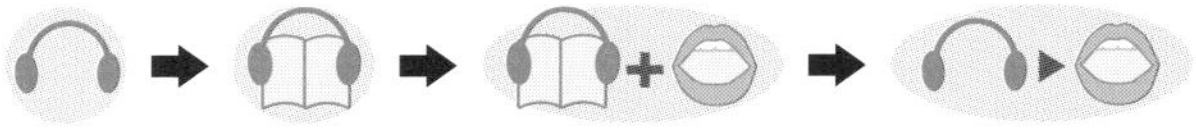

単音節 Track 024

第１声	第２声	第３声	第４声
hē	huán	qǐng	jiè
tāng	qián	xiě	zhù

２音節 Track 025 / 026 / 027 / 028

後ろの発音が変わるパターン →

前の発音が変わるパターン ↓

hē tāng	hē chá	hē shuǐ	hē yào
huán shū	huán qián	huán zuǐ	huán dài
qǐng chī	qǐng lái	qǐng xiě	qǐng zuò
jiè shū	jiè qián	jiè bǐ	jiè zhù

2 文字の意味を理解した後、テキストを見て、音声を聞きながら声を出すパラレルリーディングを中心に練習しましょう。

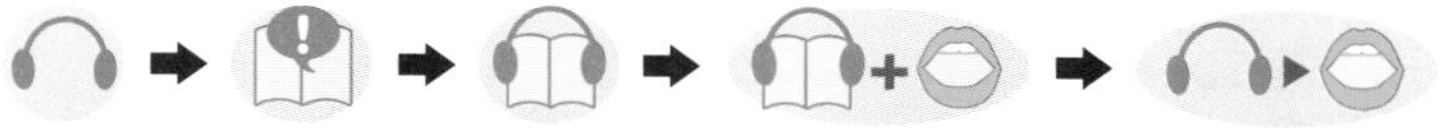

単音節 Track 024

第１声	第２声	第３声	第４声
hē 喝 飲む	huán 还 返す	qǐng 请 どうぞ～	jiè 借 借りる
tāng 汤 スープ	qián 钱 お金	xiě 写 書く	zhù 住 住む

２音節 Track 025 / 026 / 027 / 028

hē tāng 喝 汤 スープを飲む	hē chá 喝 茶 お茶を飲む	hē shuǐ 喝 水 水を飲む	hē yào 喝 药 薬を飲む
huán shū 还 书 本を返す	huán qián 还 钱 お金を返す	huán zuǐ 还 嘴 口答えをする	huán dài 还 贷 ローンを返す
qǐng chī 请 吃 食べてください	qǐng lái 请 来 来てください	qǐng xiě 请 写 書いてください	qǐng zuò 请 坐 座ってください
jiè shū 借 书 本を借りる	jiè qián 借 钱 お金を借りる	jiè bǐ 借 笔 ペンを借りる	jiè zhù 借 住 家に泊まらせてもらう

③ 音を聞いて声を出しながら、連続する二音節の四声を意識して、漢字を見れば四声がわかるまで、しっかり練習しましょう。

単音節　Track 024

第1声	第2声	第3声	第4声
喝	还	请	借
汤	钱	写	住

2音節　Track 025 / 026 / 027 / 028

喝汤	喝茶	喝水	喝药
还书	还钱	还嘴	还贷
请吃	请来	请写	请坐
借书	借钱	借笔	借住

④ Track 029 と 030 では音声がシャフルします。順番が入れ替わっても二音節の四声の発音が安定するように練習しましょう。

単音節 Track 024

第１声	第２声	第３声	第４声
喝	还	请	借
汤	钱	写	住

２音節 Track 026 / 028 / 029 / 030

喝 汤	喝 茶	喝 水	喝 药
还 书	还 钱	还 嘴	还 贷
请 吃	请 来	请 写	请 坐
借 书	借 钱	借 笔	借 住

＊横シャフル、縦シャフルの順番は p.224 を参照。

⑤ このユニットの力試しです。日本語の後にポーズがあるので、該当する中国語を声に出して言ってみましょう。その後に正しい中国語の発音が読まれます。後について声に出しながら確認しましょう。Track 034 は全部の語句をシャフルします。

単音節 Track 031

第１声	第２声	第３声	第４声
飲む	返す	どうぞ～	借りる
スープ	お金	書く	住む

２音節 Track 032 / 033 / 034

スープを飲む	お茶を飲む	水を飲む	薬を飲む
本を返す	お金を返す	口答えをする	ローンを返す
食べてください	来てください	書いてください	座ってください
本を借りる	お金を借りる	ペンを借りる	家に泊まらせてもらう

＊日本語シャフルの順番は *p*.226 を参照。

Unit 4

二音節の名詞

（このユニットの目標）

- 冒頭の第１声と第４声を高く発音するコツをつかむ。
- 第１声と第４声のような高い音が連続する場合、２番目の音を「より高く」発音する。
- 第２声と第３声のような低い音が連続する場合、２番目の音を「より低く」発音する。

▼このユニットで使う音声素材

035_h_slow ……… 二音節ずつ横にゆっくり読む

036_h_normal …… 二音節ずつ横に普通の速さで読む

037_v_slow ……… 二音節ずつ縦にゆっくり読む

038_v_normal …… 二音節ずつ縦に普通の速さで読む

039_h_shuffle …… 二音節ずつ横に順番をシャフルして読む

040_v_shuffle …… 二音節ずつ縦に順番をシャフルして読む）

041_h_J ………… 二音節ずつ日本語を横に読む（日本語のあとにポーズがあり、その間に中国語の発音をします。その後に中国語が読まれます。以下、同様）

042_v_J ………… 二音節ずつ日本語を縦に読む

043_shuffle_J … 順番を完全にシャフルして日本語を読む

① ここではできるだけ音声に集中して四声のトレーニングをします。音のイメージをしっかりつかんでください。

2音節　Track 035 / 036 / 037 / 038

後ろの発音が変わるパターン →

前の発音が変わるパターン ↓

jiāo tōng	chū xí	shēn qǐng	jīng jì
jié yuē	wén xué	lián xiǎng	huán jìng
yǎn shuō	wǔ tái	bǎo xiǎn	xiǎng xiàng
mù biāo	huà tí	jù tǐ	jì huà

ミニコラム 1　想像と創造

今、多くの中国人観光客が東京の浅草を訪れていますが、そこで和風の模様が描かれた精巧な扇子（せんす）をお土産に買う人をよく見かけます。皆さん、中国生まれの団扇（うちわ）を携帯できるよう改善した扇子が日本人の発明であることを知っていますか？

このような、中国生まれのようで実は日本生まれのものは他にもあります。「文化」「社会」「政治」「経済」「哲学」「自由」など、今の社会生活を営むのになくてはならない言葉も、日本人が作った立派な外来語です。「創造は想像から」、日本人の優れた想像力と創造力に感服し、その双方向の交流の恵みに感謝しています。

——東瀛の風が 爽やか言ひにけり 想像からの創造の妙——

② 文字の意味を理解した後、テキストを見て、音声を聞きながら声を出すパラレルリーディングを中心に練習しましょう。

2音節 Track 035 / 036 / 037 / 038

jiāo tōng 交通 交通	chū xí 出席 出席	shēn qǐng 申请 申請	jīng jì 经济 経済
jié yuē 节约 節約	wén xué 文学 文学	lián xiǎng 联想 連想	huán jìng 环境 環境
yǎn shuō 演说 演説	wǔ tái 舞台 舞台	bǎo xiǎn 保险 保険	xiǎng xiàng 想像 想像
mù biāo 目标 目標	huà tí 话题 話題	jù tǐ 具体 具体	jì huà 计划 計画

③ 音を聞いて声を出しながら、連続する二音節の四声を意識して、漢字を見れば四声がわかるまで、しっかり練習しましょう。

2音節 Track 035 / 036 / 037 / 038

ˉ ˉ 交通	ˉ ˊ 出席	ˉ ˇ 申请	ˉ ˋ 经济
ˊ ˉ 节约	ˊ ˊ 文学	ˊ ˇ 联想	ˊ ˋ 环境
ˇ ˉ 演说	ˇ ˊ 舞台	ˊ ˇ 保险	ˇ ˋ 想像
ˋ ˉ 目标	ˋ ˊ 话题	ˋ ˇ 具体	ˋ ˋ 计划

ミニコラム 2 発音がよくなるコツ（1）

発音の大切さは、自ら体験しないとなかなかわかりにくいと思います。よく中国語と日本語は高低のアクセントを持つ言葉で、四声が多少違っても通じると言われているようですが、例えば“我在学汉语。Hànyǔ”（私は中国語を習っている）”を“我在学韩语。Hányǔ”（私は韓国語を習っている）、“买 mǎi”（買う）を“卖 mài”（売る）、あるいは“问他 wèn tā”（彼に問う）を“吻他 wěn tā”（彼にキスする）か“问塔 wèn tǎ”（塔に聞く）と言ったりすれば、まったく違う意味になってしまいます。通じるどころか、間違った情報を相手に伝え誤解の元となっている場合が少なくありません。

ある学習者（日本語の先生）の言葉を借りて言うならば、日本語が「てにをは」を間違えると通じないのと同様に、中国語は四声を間違えると意思の疎通がスムーズにいかない場合があります。

④ Track 039 と 040 では音声がシャフルします。順番が入れ替わっても二音節の四声の発音が安定するように練習しましょう。

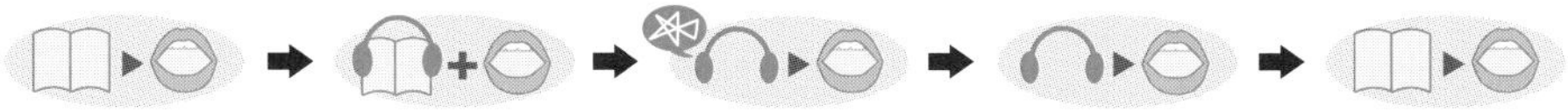

2 音節　Track 036 / 038 / 039 / 040

交通	出席	申请	经济
节约	文学	联想	环境
演说	舞台	保险	想像
目标	话题	具体	计划

＊横シャフル、縦シャフルの順番は *p*.224 を参照。

5 このユニットの力試しです。日本語の後にポーズがあるので、該当する中国語を声に出して言ってみましょう。その後に正しい中国語の発音が読まれます。後について声に出しながら確認しましょう。Track 043 は全部の語句をシャフルします。

2 音節 Track 041 / 042 / 043

交通	出席	申請	経済
節約	文学	連想	環境
演説	舞台	保険	想像
目標	話題	具体	計画

＊日本語シャフルの順番は p.226 を参照。

Unit 5

さまざまな二音節トレーニング

このユニットの目標

- 二音節の連続の流れを意識して発音し、四声の連続をスムーズに発音できるようにする。
- 第 1 声と第 4 声が連続する場合、どちらが先にきても、2 番目の音を「より高く」発音する。
- 第 2 声と第 3 声が連続する場合、どちらが先にきても、2 番目の音を「より低く」発音する。

▼このユニットで使う音声素材

044_h_slow ……… 二音節ずつ横にゆっくり読む

045_h_normal …… 二音節ずつ横に普通の速さで読む

046_v_slow ……… 二音節ずつ縦にゆっくり読む

047_v_normal …… 二音節ずつ縦に普通の速さで読む

048_h_shuffle …… 二音節ずつ横に順番をシャフルして読む

049_v_shuffle …… 二音節ずつ縦に順番をシャフルして読む

050_4_slow ……… 二音節をふたつずつ四音節にして横にゆっくり読む

051_8_normal …… 上記四音節をふたつずつ八音節にして横に普通の速さで読む

052_4_slow ……… 二音節をふたつずつ四音節にして横にゆっくり読む

053_8_normal …… 上記四音節をふたつずつ八音節にして横に普通の速さで読む

054_h_J ………… 二音節ずつ日本語を横に読む（日本語のあとにポーズがあり、その間に中国語の発音をします。その後に中国語が読まれます。以下、同様）

055_v_J ………… 二音節ずつ日本語を縦に読む

056_shuffle_J … 順番を完全にシャフルして日本語を読む

1 ここではできるだけ音声に集中して四声のトレーニングをします。音のイメージをしっかりつかんでください。

2音節 Track 044 / 045 / 046 / 047

……＞ 後ろの発音が変わるパターン

前の発音が変わるパターン

tiān tiān	hē chá	shēn tǐ	kāng jiàn
dú shū	xué xí	méi yǒu	jié jìng
hěn duō	xiǎo hái	xiǎng yǎng	chǒng wù
xì xīn	fù zé	bì miǎn	fàn cuò

ミニコラム 3 発音がよくなるコツ（2）

日本語の二音節のアクセントは、高低または低高のパターンなので、中国語の二音節を発音するときにも、その影響を受けるようです。

たとえば、中国語の高い音の連続１＋1、１＋4、４＋1、４＋4を発音するときに、どうしても２番目の発音の出発点が低くなってしまうという現象が見られます。その解消法として２番目の音を意識的に高く発音すると、中国語らしく聞こえます。

それとは逆に、中国語の低い音の連続２＋2、２＋3、３＋3、３＋2を発音するときには、２番目の発音の出発点が高くなってしまうという現象が見られます。この場合にも、２番目の発音を意識的に低く発音したほうが、より中国語らしく聞こえます。

中国語を発音するときには、「より高く」、「より低く」、「より正しく」、「より美しく」発音するように心がけてみてはいかがでしょうか。

② 文字の意味を理解した後、テキストを見て、音声を聞きながら声を出すパラレルリーディングを中心に練習しましょう。

2音節 Track 044 / 045 / 046 / 047

tiān tiān 天天 毎日	hē chá 喝茶 お茶を飲む	shēn tǐ 身体 体	kāng jiàn 康健 健康
dú shū 读书 読書	xué xí 学习 学習	méi yǒu 没有 ない	jié jìng 捷径 近道
hěn duō 很多 たくさん	xiǎo hái 小孩 子ども	xiǎng yǎng 想养 飼いたい	chǒng wù 宠物 ペット
xì xīn 细心 注意深い	fù zé 负责 責任をとる	bì miǎn 避免 避ける	fàn cuò 犯错 過ちを犯す

③ 音を聞いて声を出しながら、連続する二音節の四声を意識して、漢字を見れば四声がわかるまで、しっかり練習しましょう。

2音節　Track 044 / 045 / 046 / 047 / 050 / 052

ˉ ˉ	ˉ ˊ	ˉ ˇ	ˉ ˋ
天天	喝茶	身体	康健
ˊ ˉ	ˊ ˊ	ˊ ˇ	ˊ ˋ
读书	学习	没有	捷径
ˇ ˉ	ˇ ˊ	ˊ ˇ	ˇ ˋ
很多	小孩	想养	宠物
ˋ ˉ	ˋ ˊ	ˋ ˇ	ˋ ˋ
细心	负责	避免	犯错

ミニコラム 4　語学勉強の近道は？

「語学学習の近道は何ですか？」――とはよく聞かれる質問ですが、「近道」はあるのでしょうか。

外国語を学ぼうとするとき、入り口は至る所にあり、どこからでも入ることができます。しかし本当に「近道」はあるのでしょうか。それは通った人にしかわかりません。終点へ向かう道は、長いのもあれば短いのもあり、広いのもあれば狭いのもあります。時には緩やかだったり急だったり、時には曲がったりまっすぐだったり、道中の辛さ楽しさが常にあなたのお供となってついてきます。外国語を習得した人は、皆それぞれ自分の道を持っています。その道は、努力の汗と豊かな想像で、一歩一歩できていったものではないでしょうか。皆さんはどうお考えになりますか。

以上の文章を中国語で言えたらいいですね。（→p.168）

④ Track 048 と 049 では音声がシャフルします。順番が入れ替わっても二音節の四声の発音が安定するように練習しましょう。

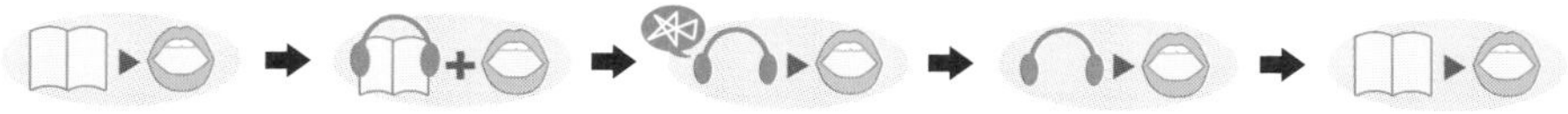

2 音節 Track 045 / 047 / 048 / 049 / 051 / 053

天天	喝茶	身体	康健
读书	学习	没有	捷径
很多	小孩	想养	宠物
细心	负责	避免	犯错

＊横シャフル、縦シャフルの順番は p.224 を参照。

5 このユニットの力試しです。日本語の後にポーズがあるので、該当する中国語を声に出して言ってみましょう。その後に正しい中国語の発音が読まれます。後について声に出しながら確認しましょう。Track 056 は全部の語句をシャフルします。

2音節 Track 054 / 055 / 056

毎日	お茶を飲む	体	健康
読書	学習	ない	近道
たくさん	子ども	飼いたい	ペット
注意深い	責任をとる	避ける	過ちを犯す

＊日本語シャフルの順番は *p*.226 を参照。

Unit 6

四声が違うと意味が異なる二音節

（ このユニットの目標 ）

ピンインが同じで四声が異なるとは、どういうことなのか、二音節の語句の発音の練習を通して、体感しよう。

▼このユニットで使う音声素材

057_v_normal…… 二音節ずつ縦に普通の速さで読む

058_v_slow……… 二音節ずつ縦にゆっくり読む

059_v_pause …… 復唱できるようにポーズをおきながら縦に読む

060_v_J ………… 二音節ずつ日本語を縦に読む（日本語のあとにポーズがあり、その間に中国語の発音をします。その後に中国語が読まれます。以下、同様）

061_v_normal…… 普通の速さで縦に読む。

062_v_pause …… 復唱できるようにポーズをおきながら縦に読む

1 ここではできるだけ音声に集中して四声のトレーニングをします。音のイメージをしっかりつかんでください。

Track 057 / 058 / 059

前同後異	前異後同	前異後異
fēng mǐ — fēng mì	shí zhōng — shǐ zhōng	huā fèi — huà féi
wén zhāng — wén zhàng	xiāo shí — xiǎo shí	xīn rén — xìn rèn
lǐ jié — lǐ jiě	wū lǐ — wù lǐ	jié shù — jiè shū
jiào shī — jiào shì	měi lì — mèi lì	jiǎng lǐ — jiǎng lì

ミニコラム 5 発音がよくなるコツ（3）— 母音を大切に —

中国語の習い始めは、まず単母音・二重母音・三重母音・子音などから学びます。ですから最初のうちは、母音に気をつけながら発音しますが、学ぶに従って、だんだんと中国の母音を日本語の母音で代用していきます。

また、日本語を話すときに多い、文末を弱くする傾向が、中国語の文を発話するときにも見られます。無意識に文末が弱くなり母音を飲み込んでしまうのです。文末が弱くなるので、口から出るとすぐ地面に落ちてしまうような話し方になり、中国語としては聞きにくく、日本式の中国語となってしまいます。

文末の母音を飲み込まず、声も小さくならないように発音するだけで、中国語らしさが出ますので、そこに気をつけるといいですね。

② 文字の意味を理解した後、テキストを見て、ふたつの二音節の四声の違いが正確に出せるように練習しましょう。

Track 057 / 058 / 059

前同後異	前異後同	前異後異
fēng mǐ — fēng mì 风靡 — 蜂蜜 流行る — はちみつ	shí zhōng — shǐ zhōng 时钟 — 始终 時計 — 終始	huā fèi — huà féi 花费 — 化肥 お金がかかる — 化学肥料
wén zhāng — wén zhàng 文章 — 蚊帐 文章 — 蚊帳	xiāo shí — xiǎo shí 消食 — 小时 消化する — ～時間（量）	xīn rén — xìn rèn 新人 — 信任 新人 — 信頼
lǐ jié — lǐ jiě 礼节 — 理解 礼儀 — 理解	wū lǐ — wù lǐ 屋里 — 物理 家の中 — 物理	jié shù — jiè shū 结束 — 借书 終わる — 本を借りる
jiào shī — jiào shì 教师 — 教室 教師 — 教室	měi lì — mèi lì 美丽 — 魅力 きれい — 魅力	jiǎng lǐ — jiǎng lì 讲理 — 奖励 道理をわきまえる — 褒美を与える

③ 音を聞いて声を出しながら、ふたつの二音節の四声の違いが、漢字を見ればわかるまで、しっかり練習しましょう。

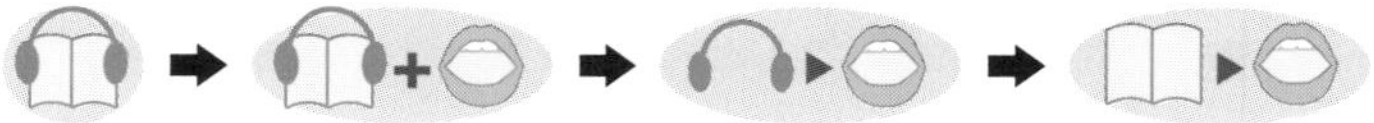

Track 057 / 058 / 059

前同後異	前異後同	前異後異
ˉ ˇ　ˉ ˋ 风靡 – 蜂蜜	ˊ ˉ　ˇ ˉ 时钟 – 始终	ˉ ˋ　ˋ ˊ 花费 – 化肥
ˊ ˉ　ˊ ˋ 文章 – 蚊帐	ˉ ˊ　ˇ ˊ 消食 – 小时	ˉ ˊ　ˋ ˋ 新人 – 信任
ˇ ˊ　ˊ ˇ 礼节 – 理解	ˉ ˇ　ˋ ˇ 屋里 – 物理	ˊ ˋ　ˋ ˉ 结束 – 借书
ˋ ˉ　ˋ ˋ 教师 – 教室	ˇ ˋ　ˋ ˋ 美丽 – 魅力	ˊ ˇ　ˇ ˋ 讲理 – 奖励

ミニコラム 6　発音がよくなるコツ（4）― さまざまな学び方 ―

発音が得意な学生にアンケート調査をして、どのような方法で発音を練習しているのかを聞いたことがあります。そのときの答えをご参考までに、下記に記しておきます。

「ひたすら聞く。聞きながら、心の中で復唱する。聞きながら口に出して復唱する」「練習する場所は、浴室が上手に聞こえるので、よく浴室で練習する」「情景を思い浮かべながら復唱するかシャドーイングする」「自分の声を録音して自分でチェックする。他人の間違いはよく気づくので、第三者のように客観的に自分の発音を見直すことができる。自分の先生になれる」「個々の発音を確認しながら、文全体を発音正しく覚える。そうすれば、意味のあるまとまった音を把握でき、聞き取りの文法の理解も早くなる」

④ ふたつの二音節語の四声の対比に注意しながら、音読が正確にできるまで、繰り返し練習しましょう。

Track 057 / 058 / 059

前同後異	前異後同	前異後異
风靡－蜂蜜	时钟－始终	花费－化肥
文章－蚊帐	消食－小时	新人－信任
礼节－理解	屋里－物理	结束－借书
教师－教室	美丽－魅力	讲理－奖励

5 ①～④で練習したことの力試しです。日本語の後にポーズがあるので、該当する中国語を声に出して言ってみましょう。その後に正しい中国語の発音が読まれます。後について声に出しながら確認しましょう。

Track 060

前同後異	前異後同	前異後異
流行る ー はちみつ	時計 ー 終始	お金がかかる ー 化学肥料
文章 ー 蚊帳	消化する ー（量）時間	新人 ー 信頼
礼儀 ー 理解	家の中 ー 物理	終わる ー 本を借りる
教師 ー 教室	きれい ー 魅力	道理をわきまえる ー 褒美を与える

⑥ ①～⑤で練習したことの仕上げです。文の中でも、ふたつの二音節語が正確にブレずに発音できるように練習しましょう。

Track 061 / 062

❶ 蜂蜜《fēng mì》 — 风靡《fēng mǐ》

Fēngmì měiróng fēngmǐ yìshí.

蜂蜜美容风靡一时。

はちみつ美容術は一時流行っていました。

❷ 蚊帐《wén zhàng》 — 文章《wén zhāng》

Tā duǒjìn wénzhàngli xiě wénzhāng.

他躲进蚊帐里写文章。

彼は蚊帳の中に隠れて文章を書きます。

❸ 礼节《lǐ jié》 — 理解《lǐ jiě》

Yǒuxiē wàiguó de lǐjié hěn nán lǐjiě.

有些外国的礼节很难理解。

外国の礼儀作法には理解しづらいものがあります。

❹ 教室《jiào shì》 — 教师《jiào shī》

Jiàoshì shì jiàoshī hé xuésheng gòngtóng de wǔtái.

教室是教师和学生共同的舞台。

教室は教師と学生の共同の舞台です。

❺ 始终《shǐ zhōng》 — 时钟《shí zhōng》

Tā shǐzhōng kànzhe nà zuò shízhōng.

他始终看着那座时钟。

彼はずっとその置時計を見ています。

❻ 小时《xiǎo shí》 — 消食《xiāo shí》

Fàn hòu sànbù bàn xiǎoshí, yǒulìyú xiāoshí.

饭后散步半小时，有利于消食。

食事の後、30 分散歩するのは消化によいのです。

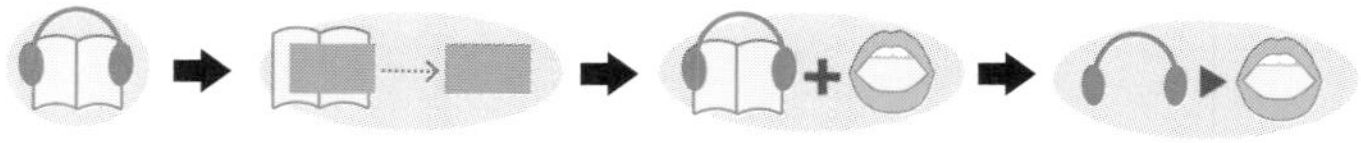

7 屋里《wū lǐ》 — 物理《wù lǐ》

Tā zài wūlǐ zuò wùlǐ zuòyè.

他在屋里做物理作业。

彼は部屋の中で物理の宿題をやっています。

8 魅力《mèi lì》 — 美丽《měi lì》

Tā shì yí ge yǒu mèilì de měilì gūniang.

她是一个有魅力的美丽姑娘。

彼女は魅力的できれいな娘です。

9 化肥《huà féi》 — 花费《huā fèi》

Mǎi huàféi de huāfèi bù shǎo.

买化肥的花费不少。

化学肥料を買うのは結構お金がかかります。

10 新人《xīn rén》 — 信任《xìn rèn》

Yí duì xīnrén yào hùxiāng xìnrèn.

一对新人要互相信任。

新婚のお二人はお互いに信頼し合うべきです。

11 借书《jiè shū》 — 结束《jié shù》

Miǎnfèi jièshū de huódòng jiéshù le.

免费借书的活动结束了。

本の貸し出し無料キャンペーンは終了しました。

12 奖励《jiǎng lì》 — 讲理《jiǎng lǐ》

Lǎoshī jiǎnglìle jiǎnglǐ de háizi.

老师奖励了讲理的孩子。

先生は道理をわきまえている子どもに褒美を与えました。

コラム① 中国語の地名

Track 063 / 064

日本でもよく知られた中国の地名で、四声の練習をしてみましょう。
横列、縦列の順番にぐ普通の速さで読まれます。

第1声	第2声	第3声	第4声
Sū zhōu 苏州 蘇州	Cháng chéng 长城 万里の長城	Běi jīng 北京 北京	Shàng hǎi 上海 上海
Xī ān 西安 西安	Huáng shān 黄山 黄山	Guǎng dōng 广东 広東	Sì chuān 四川 四川
Qīng dǎo 青岛 青島	Chóng qìng 重庆 重慶	Wǔ hàn 武汉 武漢	Dà lián 大连 大連
Xiāng gǎng 香港 香港	Cháng chūn 长春 長春	Hǎi nán 海南 海南	Guì lín 桂林 桂林

Part 2

三音節の四声トレーニング

ここでは第１声の“真”、第２声の“没”、第３声の“想”、第４声の“去”を用いた三音節のトレーニングをします。“真”、“没”、“想”、“去”ともに頻出の語なので、この機会にしっかり四声をマスターしましょう。

第１声の“真”では特に後に続く第１声を「より高く」、第２声の“没”では後に続く第２声、第３声を「より低く」、第３声の“想”でも後に続く第２声、第３声を「より低く」、第４声の“去”では後に続く第１声、第４声を「より高く」といった、連続する音の高低の加減に注意して、自然な四声を自分のものにしましょう。

Unit 1

“真” が最初にくる三音節

このユニットの目標

第 1 声の副詞の “真” は「少し高め」「少し長め」に発音して、形容詞を強調する感じを出して発音する。

▼ このユニットで使う音声素材

066_h_slow ……… 三音節ずつ横にゆっくり読む

067_h_normal …… 三音節ずつ横に普通の速さで読む

068_v_slow ……… 三音節ずつ縦にゆっくり読む

069_v_normal …… 三音節ずつ縦に普通の速さで読む

070_h_shuffle …… 三音節ずつ横に順番をシャフルして読む

071_v_shuffle …… 三音節ずつ縦に順番をシャフルして読む

072_h_J ………… 三音節ずつ日本語を横に読む（日本語のあとにポーズがあり、その間に中国語の発音をします。その後に中国語が読まれます。以下、同様）

073_v_J ………… 三音節ずつ日本語を縦に読む

074_shuffle_J … 順番を完全にシャフルして日本語を読む

1 ここではできるだけ音声に集中して四声のトレーニングをします。音のイメージをしっかりつかんでください。

Track 066 / 067 / 068 / 069

四声	+ 1	+ 2	+3	+ 4
1 + 1 + *	zhēn qīng sōng	zhēn xīn qí	zhēn xīn kǔ	zhēn shū shì
1 + 2 + *	zhēn nán tīng	zhēn nán xué	zhēn nán xiě	zhēn nán niàn
1 + 3 + *	zhēn hǎo chī	zhēn hǎo wán	zhēn hǎo xiě	zhēn hǎo kàn
1 + 4 + *	zhēn fàng xīn	zhēn qì rén	zhēn bù qiǎo	zhēn xiàn mù

ミニコラム 7 “好”＋動詞

“好”＋動詞というパターンでさまざまな表現ができます。一番よく使う“好吃”“好喝”“好看”“好听”“好用”“好写”“好玩儿”を覚えるとすぐ使えますね。

■你做的菜真好吃。あなたが作った料理は本当においしい。／■绍兴酒真好喝。紹興酒は本当においしい。／■这儿的风景真好看。ここの景色は本当にきれい。／■爵士乐真好听。ジャズは本当にいい。／■新手机真好用。新しい携帯は本当に使いやすい。／■这枝毛笔真好写。この筆は本当に書きやすい。／■这个游戏真好玩儿。このゲームは本当に面白い。

② 文字の意味を理解した後、テキストを見て、音声を聞きながら声を出すパラレルリーディングを中心に練習しましょう。

Track 066 / 067 / 068 / 069

四声	+1	+2	+3	+4
1+1+*	zhēn qīng sōng 真轻松 本当に楽だ	zhēn xīn qí 真新奇 本当に珍しい	zhēn xīn kǔ 真辛苦 本当に大変	zhēn shū shì 真舒适 本当に心地よい
1+2+*	zhēn nán tīng 真难听 本当に耳障りだ	zhēn nán xué 真难学 本当に勉強しづらい	zhēn nán xiě 真难写 本当に書きづらい	zhēn nán niàn 真难念 本当に読みづらい
1+3+*	zhēn hǎo chī 真好吃 本当においしい	zhēn hǎo wán 真好玩 本当におもしろい	zhēn hǎo xiě 真好写 本当に書きやすい	zhēn hǎo kàn 真好看 本当にきれい
1+4+*	zhēn fàng xīn 真放心 本当に安心だ	zhēn qì rén 真气人 本当にムカつく	zhēn bù qiǎo 真不巧 本当にあいにくなことに	zhēn xiàn mù 真羡慕 本当にうらやましい

③ 音を聞いて声を出しながら、連続する三音節の四声を意識して、漢字を見れば四声がわかるまで、しっかり練習しましょう。

Track 066 / 067 / 068 / 069

四声	+1	+2	+3	+4
1+1+*	ˉ ˉ ˉ 真轻松	ˉ ˉ ˊ 真新奇	ˉ ˉ ˇ 真辛苦	ˉ ˉ ˋ 真舒适
1+2+*	ˉ ˊ ˉ 真难听	ˉ ˊ ˊ 真难学	ˉ ˊ ˇ 真难写	ˉ ˊ ˋ 真难念
1+3+*	ˉ ˇ ˉ 真好吃	ˉ ˇ ˊ 真好玩	ˉ ˊ ˇ 真好写	ˉ ˇ ˋ 真好看
1+4+*	ˉ ˋ ˉ 真放心	ˉ ˋ ˊ 真气人	ˉ ˋ ˇ 真不巧	ˉ ˋ ˋ 真羡慕

ミニコラム 8 “真舒服”

“真舒服”（本当に気持ちいい）もさまざまな例があります。

- ■这个沙发坐上去真舒服。　このソファーは座り心地が本当にいい。
- ■她说话真甜，让人听得真舒服。　彼女の声は本当に優しく、聞いていて気持ちがいい。
- ■这么大的房间，住着真舒服。　こんなに大きな部屋で、住み心地が本当にいい。
- ■这件羽绒服又轻又暖和，穿着真舒服。　このダウンコートは軽くて暖かくて、着心地が本当にいい。
- ■他的技术就是好，按摩得真舒服。　彼の技術はとてもすばらしくて、マッサージが本当に気持ちいい。

④ 漢字を見てどのくらい読めるか音読してみましょう。モデル音声で確認をして、弱点を集中的に練習しましょう。

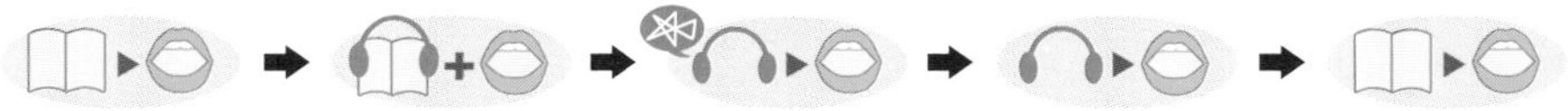

Track 067 / 069 / 070 / 071

四声	+1	+2	+3	+4
1+1+＊	真轻松	真新奇	真辛苦	真舒适
1+2+＊	真难听	真难学	真难写	真难念
1+3+＊	真好吃	真好玩	真好写	真好看
1+4+＊	真放心	真气人	真不巧	真羡慕

＊横シャフル、縦シャフルの順番は *p*.224 を参照。

5 このユニットの力試しです。日本語の後にポーズがあるので、該当する中国語を声に出して言ってみましょう。その後に正しい中国語の発音が読まれます。後について声に出しながら確認しましょう。Track 074 は全部の語句をシャフルします。

Track 072 / 073 / 074

四声	+1	+2	+3	+4
1+1+＊	本当に楽だ	本当に珍しい	本当に大変	本当に心地よい
1+2+＊	本当に耳障りだ	本当に勉強しづらい	本当に書きづらい	本当に読みづらい
1+3+＊	本当においしい	本当におもしろい	本当に書きやすい	本当にきれい
1+4+＊	本当に安心だ	本当にムカつく	本当に都合が悪い	本当にうらやましい

＊日本語シャフルの順番は *p*.226 を参照。

Unit 2

“没” が最初にくる三音節

このユニットの目標

第２声の “没” の後に第２声と第３声が続く場合には、「より低く」発音する。

▼このユニットで使う音声素材

075_h_slow ……… 三音節ずつ横にゆっくり読む

076_h_normal …… 三音節ずつ横に普通の速さで読む

077_v_slow ……… 三音節ずつ縦にゆっくり読む

078_v_normal …… 三音節ずつ縦に普通の速さで読む

079_h_shuffle …… 三音節ずつ横に順番をシャフルして読む

080_v_shuffle …… 三音節ずつ縦に順番をシャフルして読む

081_h_J ………… 三音節ずつ日本語を横に読む（日本語のあとにポーズがあり、その間に中国語の発音をします。その後に中国語が読まれます。以下、同様）

082_v_J ………… 三音節ずつ日本語を縦に読む

083_shuffle_J … 順番を完全にシャフルして日本語を読む

1 ここではできるだけ音声に集中して四声のトレーニングをします。音のイメージをしっかりつかんでください。

Track 075 / 076 / 077 / 078

四声	+1	+2	+3	+4
2+1+*	méi tōng zhī	méi chū mén	méi hē shuǐ	méi chī fàn
2+2+*	méi huí jiā	méi tái tóu	méi táo pǎo	méi chí dào
2+3+*	méi mǎi chē	méi lǚ xíng	méi dǎ sǎo	méi zhǔn bèi
2+4+*	méi shàng bān	méi fù xí	méi bào jǐng	méi yù dào

ミニコラム 9 "没出门"

"没出门"と言えば、最近の中国では、"宅男""宅女"など、"宅"にまつわる表現が頻繁に聞かれるようになりました。"你宅了吗？"という動詞の使い方まであり、日本語の「オタク」の影響だと言われていますが、在宅勤務、インドア派の人という意味でも使われているようです。

宅配、ネットショッピング、電子書籍などの発達で「オタク文化」がひとつの社会現象となっています。"宅生活"は、普段の過度な仕事や人間関係によるストレスから解放され、またエコライフでもあると称賛される一方、社会性に欠ける「現代文明病」だと批判的に見る人もいます。——山と海 ネットがあれば 近くなり 小さき家の 天地は広し——

② 文字の意味を理解した後、テキストを見て、音声を聞きながら声を出すパラレルリーディングを中心に練習しましょう。

Track 075 / 076 / 077 / 078

四声	+1	+2	+3	+4
2+1+*	méi tōng zhī 没通知 知らせていない （知らせなかった）	méi chū mén 没出门 出かけていない （出かけなかった）	méi hē shuǐ 没喝水 水を飲んでいない （水を飲まなかった）	méi chī fàn 没吃饭 ご飯を食べていない （ご飯を食べなかった）
2+2+*	méi huí jiā 没回家 家に帰っていない （家に帰らなかった）	méi tái tóu 没抬头 頭を上げていない （頭を上げなかった）	méi táo pǎo 没逃跑 逃げていない （逃げなかった）	méi chí dào 没迟到 遅刻していない （遅刻しなかった）
2+3+*	méi mǎi chē 没买车 自動車を買っていない （自転車を買わなかった）	méi lǚ xíng 没旅行 旅行していない （旅行しなかった）	méi dǎ sǎo 没打扫 掃除していない （掃除しなかった）	méi zhǔn bèi 没准备 準備していない （準備しなかった）
2+4+*	méi shàng bān 没上班 出勤していない （出勤しなかった）	méi fù xí 没复习 復習していない （復習しなかった）	méi bào jǐng 没报警 警察を呼んでいない （警察を呼ばなかった）	méi yù dào 没遇到 会っていない （会わなかった）

③ 音を聞いて声を出しながら、連続する三音節の四声を意識して、漢字を見れば四声がわかるまで、しっかり練習しましょう。

Track 075 / 076 / 077 / 078

四声	+1	+2	+3	+4
2+1+*	没通知	没出门	没喝水	没吃饭
2+2+*	没回家	没抬头	没逃跑	没迟到
2+3+*	没买车	没旅行	没打扫	没准备
2+4+*	没上班	没复习	没报警	没遇到

ミニコラム 10　予習より復習

“温故知新”は皆さんもご存じの通り、昔のことを改めて学び、そこから新しい知識を得ることですが、このような学び方が大変重要であることを古代の先人は経験則として知っていました。

ドイツのヘルマン・エビングハウスという学者も、「忘却曲線」が存在することを実験の結果指摘していますが、“温故知新”、復習の重要性は、科学的に証明されるのを待つまでもなく、皆さんも十分認識されていることでしょう。当然、語学学習の場合も、復習は習ったことを確実に自分のものにする大切なプロセスと言えます。ある意味、予習以上に重要な意味があるように思えます。先日、ある学生が電車の中で復習していたら隣にちょうど中国人が座っており、習った“光阴似箭”の書き方の間違いを指摘してくれた、本当に勉強になったと嬉しそうに話してくれました。矢の如く過ぎ去っていく時間の痕跡を残すためにも、“温故知新”を実践していきたいものです。

④ 漢字を見てどのくらい読めるか音読してみましょう。モデル音声で確認をして、弱点を集中的に練習しましょう。

Track 076 / 078 / 079 / 080

四声	+1	+2	+3	+4
2+1+*	没通知	没出门	没喝水	没吃饭
2+2+*	没回家	没抬头	没逃跑	没迟到
2+3+*	没买车	没旅行	没打扫	没准备
2+4+*	没上班	没复习	没报警	没遇到

＊横シャフル、縦シャフルの順番は p.224 を参照。

5 日本語をみて中国語で言ってみましょう。そのあとでモデル音声で確認をして練習しましょう。

Track 081 / 082 / 083

四声	+1	+2	+3	+4
2+1+＊	知らせていない	出かけていない	水を飲んでいない	ご飯を食べていない
2+2+＊	家に帰っていない	頭を上げていない	逃げていない	遅刻していない
2+3+＊	自動車を買っていない	旅行していない	掃除していない	準備していない
2+4+＊	出勤していない	復習していない	警察を呼んでいない	会っていない

＊日本語シャフルの順番は p.226 を参照。

Unit 3

“想” が最初にくる三音節

このユニットの目標

第３声の“没”の発音をスムーズに。がんばりすぎて発音しないように。“想”の後に第２声または第３声が続く場合には、「より低く」発音するようにします。

▼このユニットで使う音声素材

084_h_slow ……… 三音節ずつ横にゆっくり読む

085_h_normal …… 三音節ずつ横に普通の速さで読む

086_v_slow ……… 三音節ずつ縦にゆっくり読む

087_v_normal …… 三音節ずつ縦に普通の速さで読む

088_h_shuffle …… 三音節ずつ横に順番をシャフルして読む

089_v_shuffle …… 三音節ずつ縦に順番をシャフルして読む

090_h_J ………… 三音節ずつ日本語を横に読む（日本語のあとにポーズがあり、その間に中国語の発音をします。その後に中国語が読まれます。以下、同様）

091_v_J ………… 三音節ずつ日本語を縦に読む

092_shuffle_J … 順番を完全にシャフルして日本語を読む

① ここではできるだけ音声に集中して四声のトレーニングをします。音のイメージをしっかりつかんでください。

Track 084 / 085 / 086 / 087

四声	+ 1	+ 2	+3	+ 4
3 + 1 + *	xiǎng bān jiā	xiǎng chōng liáng	xiǎng tōu lǎn	xiǎng chī fàn
3 + 2 + *	xiǎng jié hūn	xiǎng xué xí	xiǎng yóu yǒng	xiǎng huí qù
3 + 3 + *	xiǎng huǐ yuē	xiǎng zhěng róng	xiǎng yǎng gǒu	xiǎng qǐng jià
3 + 4 + *	xiǎng chàng gē	xiǎng shàng xué	xiǎng tiào wǔ	xiǎng shuì jiào

ミニコラム 11　発音がよくなるコツ（5）ー さまざまな学び方 ー

“想”は、“想＋動詞＋目的語”のように動詞の前に使って、「～したい」という意味を表すことができますが、他にいろいろと使い方があります。

① 考える　A: 你在想什么呢？（今何を考えてるの？）
　　　　　B: 我在想今后我要做什么。（今後、何をしなければならないかを考えてる）

② 懐かしく思う　A: 你想不想家？（ホームシックなの？）
ホームシックになる　B: 学习这么紧张，我哪有时间想啊。
　　　　　（勉強がこんなに忙しくて、ホームシックになる暇なんてないよ）

③ 思い出す　A: 我最近常常想起小时候的事。（最近よく小さい頃のことを思い出すんだ）
　　　　　B: 那你就是老了。（それはつまりあなたが年をとったということね）

② 文字の意味を理解した後、テキストを見て、音声を聞きながら声を出すパラレルリーディングを中心に練習しましょう。

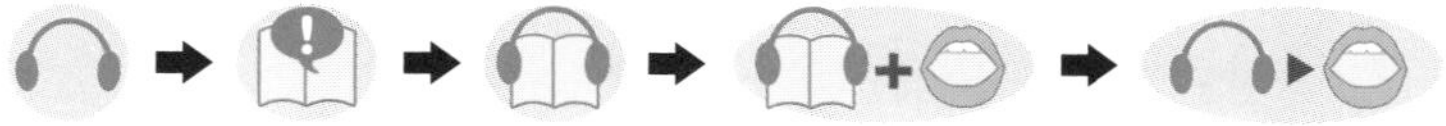

Track 084 / 085 / 086 / 087

四声	+ 1	+ 2	+ 3	+ 4
3 + 1 + *	xiǎng bān jiā 想搬家 引っ越したい	xiǎng chōng liáng 想冲凉 シャワーを浴びたい	xiǎng tōu lǎn 想偷懒 サボりたい	xiǎng chī fàn 想吃饭 ご飯を食べたい
3 + 2 + *	xiǎng jié hūn 想结婚 結婚したい	xiǎng xué xí 想学习 勉強したい	xiǎng yóu yǒng 想游泳 泳ぎたい	xiǎng huí qù 想回去 帰りたい
3 + 3 + *	xiǎng huǐ yuē 想毁约 約束を破りたい	xiǎng zhěng róng 想整容 整形したい	xiǎng yǎng gǒu 想养狗 犬を飼いたい	xiǎng qǐng jià 想请假 休みを取りたい
3 + 4 + *	xiǎng chàng gē 想唱歌 歌いたい	xiǎng shàng xué 想上学 学校に行きたい	xiǎng tiào wǔ 想跳舞 踊りたい	xiǎng shuì jiào 想睡觉 寝たい

③ 音を聞いて声を出しながら、連続する三音節の四声を意識して、漢字を見れば四声がわかるまで、しっかり練習しましょう。

Track 084 / 085 / 086 / 087

四声	+1	+2	+3	+4
3+1+*	ˇ ˉ ˉ 想搬家	ˇ ˉ ˊ 想冲凉	ˇ ˉ ˇ 想偷懒	ˇ ˉ ˋ 想吃饭
3+2+*	ˇ ˊ ˉ 想结婚	ˇ ˊ ˊ 想学习	ˇ ˊ ˇ 想游泳	ˇ ˊ ˋ 想回去
3+3+*	ˊ ˇ ˉ 想毁约	ˊ ˇ ˊ 想整容	ˊ ˊ ˇ 想养狗	ˊ ˇ ˋ 想请假
3+4+*	ˇ ˋ ˉ 想唱歌	ˇ ˋ ˊ 想上学	ˇ ˋ ˇ 想跳舞	ˇ ˋ ˋ 想睡觉

ミニコラム 12 結婚は恋愛の……

最近の中国では“试婚”（試し婚・同棲のこと）、“闪婚”（電撃結婚）等の表現も使われるようになり、習慣も変化しつつあります。ただ、そうは言っても結婚式は人生の一大イベント。地域によって差はあるものの、伝統的な習慣も根強く残っています。

新婦はポケットのある服を着ない（新婦の実家の金運を嫁ぎ先へ持ち去ることになるから）とか、宴席で“再见”を言わない等のタブーがあります。ところで中国人にとって不思議なのは、日本の結婚式で男性が黒い礼服を着ていることです。白いネクタイと黒い礼服の組み合わせは中国人にとって葬儀を連想させ、僕はつい「結婚は恋愛の……」を連想してしまいます。 中国人の結婚式に招かれたら、白いネクタイをせず明るい色のスーツをおすすめします。

4 漢字を見てどのくらい読めるか音読してみましょう。モデル音声で確認をして、弱点を集中的に練習しましょう。

Track 085 / 087 / 088 / 089

四声	+1	+2	+3	+4
3+1+*	想搬家	想冲凉	想偷懒	想吃饭
3+2+*	想结婚	想学习	想游泳	想回去
3+3+*	想毁约	想整容	想养狗	想请假
3+4+*	想唱歌	想上学	想跳舞	想睡觉

＊横シャフル、縦シャフルの順番は *p*.224-225 を参照。

5 このユニットの力試しです。日本語の後にポーズがあるので、該当する中国語を声に出して言ってみましょう。その後に正しい中国語の発音が読まれます。後について声に出しながら確認しましょう。Track 092 は全部の語句をシャフルします。

Track 090 / 091 / 092

四声	+1	+2	+3	+4
3+1+＊	引っ越したい	シャワーを浴びたい	サボりたい	ご飯を食べたい
3+2+＊	結婚したい	勉強したい	泳ぎたい	帰りたい
3+3+＊	約束を破りたい	整形したい	犬を飼いたい	休みを取りたい
3+4+＊	歌いたい	学校に行きたい	踊りたい	寝たい

＊日本語シャフルの順番は p.226 を参照。

Unit 4

“去” が最初にくる三音節

（ このユニットの目標 ）

第４声の“去”の後に第１声と第４声が続く場合、後ろにくる第１声と第４声を「より高く」発音する。

▼ このユニットで使う音声素材

093_h_slow ……… 三音節ずつ横にゆっくり読む

094_h_normal …… 三音節ずつ横に普通の速さで読む

095_v_slow ……… 三音節ずつ縦にゆっくり読む

096_v_normal …… 三音節ずつ縦に普通の速さで読む

097_h_shuffle …… 三音節ずつ横に順番をシャフルして読む

098_v_shuffle …… 三音節ずつ縦に順番をシャフルして読む

099_h_J ………… 三音節ずつ日本語を横に読む（日本語のあとにポーズがあり、その間に中国語の発音をします。その後に中国語が読まれます。以下、同様）

100_v_J ………… 三音節ずつ日本語を縦に読む

101_shuffle_J … 順番を完全にシャフルして日本語を読む

① ここではできるだけ音声に集中して四声のトレーニングをします。音のイメージをしっかりつかんでください。

Track 093 / 094 / 095 / 096

四声	+1	+2	+3	+4
4+1+*	qù cān guān	qù jiāo qián	qù hē jiǔ	qù cān sài
4+2+*	qù wéi xiū	qù qiú qíng	qù qí mǎ	qù ná xìn
4+3+*	qù dǎ tīng	qù lǚ xíng	qù xǐ wǎn	qù lǐ fà
4+4+*	qù shàng bān	qù bài nián	qù bài fǎng	qù shàng kè

ミニコラム 13 連動文

ふたつ以上の動詞が使われる文は、連動文と言います。典型的なのは、「"去"（"来"、"回"）＋動詞＋目的語」というパターンで、「～へ行き（来、帰り）、～する」の意味を表します。例えば「"去＋吃饭"（ご飯を食べに行く）」「"回家＋做饭"（ご飯を作りに家に帰る）」のように。

日本語では、「～しに＋行く（来る、帰る）」ですが、中国では、動作が行われる順番、つまり時間軸に沿って、動詞を並べていきます。また、否定を表す"不"や"没"、及び可能を表す"能"、願望を表す"想"などの能願動詞は、"去""来""回"の前に置きます。例えば、"他不去上班。"、"他想去旅行。"のようになります。

② 文字の意味を理解した後、テキストを見て、音声を聞きながら声を出すパラレルリーディングを中心に練習しましょう。

Track 093 / 094 / 095 / 096

四声	+1	+2	+3	+4
4+1+*	qù cān guān 去参观 見学に行く	qù jiāo qián 去交钱 支払いに行く	qù hē jiǔ 去喝酒 酒を飲みに行く	qù cān sài 去参赛 試合に参加しに行く
4+2+*	qù wéi xiū 去维修 修理してもらいに行く	qù qiú qíng 去求情 許しをもらいに行く	qù qí mǎ 去骑马 馬に乗りに行く	qù ná xìn 去拿信 手紙を取りに行く
4+3+*	qù dǎ tīng 去打听 聞きに行く	qù lǚ xíng 去旅行 旅行に行く	qù xǐ wǎn 去洗碗 お皿を洗いに行く	qù lǐ fà 去理发 髪をカットしに行く
4+4+*	qù shàng bān 去上班 出勤する	qù bài nián 去拜年 新年の挨拶をしに行く	qù bài fǎng 去拜访 訪ねて行く	qù shàng kè 去上课 授業に行く

③ 音を聞いて声を出しながら、連続する三音節の四声を意識して、漢字を見れば四声がわかるまで、しっかり練習しましょう。

Track 093 / 094 / 095 / 096

四声	+1	+2	+3	+4
4+1+*	＼ ー ー 去参观	＼ ー ／ 去交钱	＼ ー ∪ 去喝酒	＼ ー ＼ 去参赛
4+2+*	＼ ／ ー 去维修	＼ ／ ／ 去求情	＼ ／ ∪ 去骑马	＼ ／ ＼ 去拿信
4+3+*	＼ ∪ ー 去打听	＼ ∪ ／ 去旅行	＼ ／ ∪ 去洗碗	＼ ∪ ＼ 去理发
4+4+*	＼ ＼ ー 去上班	＼ ＼ ／ 去拜年	＼ ＼ ∪ 去拜访	＼ ＼ ＼ 去上课

ミニコラム 14 お酒もいろいろ

「中国人は“酒后吐真言”を恐れているためなかなか酔わない」とどこかの本で読んだことがありますが、体質的に強いという説もあり、データをあげてそのことを力説するテレビ番組を見た覚えがあります。

私の思い込みかもしれませんが、私の周囲の中国人も皆、酒に強いようです。しかし、そんな私も最近は少し酔うようになりました。「ここは故郷ではない」という不安が和らいで、“落地生根”の如く、根付いてきたせいなのか、日本的に「皆で酔えば怖くない」と思うようになったためなのか、あるいは単なる「体力の限界」のためなのかわからないのですが……。「酒を飲まないと真言は吐けない」のは、いかにも寂しいことで、どうせなら“酒前吐真言”にして、思う存分酔いたいものです。
ここで一首。「酒飲みの 大根の顔 茄子の顔 トマトの顔に ピーマンの顔」

④ 漢字を見てどのくらい読めるか音読してみましょう。モデル音声で確認をして、弱点を集中的に練習しましょう。

Track 094 / 096 / 097 / 098

四声	+1	+2	+3	+4
4+1+*	去参观	去交钱	去喝酒	去参赛
4+2+*	去维修	去求情	去骑马	去拿信
4+3+*	去打听	去旅行	去洗碗	去理发
4+4+*	去上班	去拜年	去拜访	去上课

*横シャフル、縦シャフルの順番は *p*.225 を参照。

5 このユニットの力試しです。日本語の後にポーズがあるので、該当する中国語を声に出して言ってみましょう。その後に正しい中国語の発音が読まれます。後について声に出しながら確認しましょう。Track 101 は全部の語句をシャフルします。

Track 099 / 100 / 101

四声	+1	+2	+3	+4
4+1+*	見学に行く	支払いに行く	酒を飲みに行く	試合に参加しに行く
4+2+*	修理してもらいに行く	許しをもらいに行く	馬に乗りに行く	手紙を取りに行く
4+3+*	聞きに行く	旅行に行く	お皿を洗いに行く	髪をカットしに行く
4+4+*	出勤する	新年の挨拶をしに行く	訪ねて行く	授業に行く

＊日本語シャフルの順番は *p*.227 を参照。

Unit 5

四声が違うと意味が異なる三音節

このユニットの目標

・正確な四声を身につけ、漢字を見たらすぐにその四声がわかるようになるまで練習する。
・会話文の意味を正しく伝えるように練習する。

▼このユニットで使う音声素材

102_v_normal…… 上から順番に普通の速さで読む
103_v_pause …… 上から順番に普通の速さで読んだ後にポーズがあるのであとについて練習する

1 Track 102で、四声の異なるふたつの二音節語を聞き比べた後、Track 103で、ポーズの後について復唱して練習しましょう。

Track 102 / 103

❶

qì chē zhǎn	—	qì chē zhàn
汽车展	—	**汽车站**
自動車展覧会	—	バス停

Qǐngwèn qù qìchēzhǎn zěnme zǒu?

请问去汽车展怎么走?

モーターショーの会場へはどう行けばいいですか。

Jiù zài qiánmiàn de qìchēzhàn pángbiān.

就在前面的汽车站旁边。

あそこのバス停の近くですよ。

まとめ

Qìchēzhǎn jiù zài qìchēzhàn pángbiān.

汽车展就在汽车站旁边。

モーターショーの会場はバス停の近くです。

❷

xǐ yī jī	—	xǐ yī jì
洗衣机	—	**洗衣剂**
洗濯機	—	洗剤

Yīfu tài duō le, yòng xǐyījī xǐ ba.

衣服太多了，用洗衣机洗吧。

服が多すぎますので洗濯機で洗いましょう。

Hǎo. Bié wàngle jiā xǐyījì.

好。别忘了加洗衣剂。

いいですよ。洗剤を入れるのを忘れないでね。

まとめ

Yòng xǐyījī de shíhou, bié wàngle jiā xǐyījì.

用洗衣机的时候，别忘了加洗衣剂。

洗濯機を使うときは洗剤を入れるのを忘れないでください。

3

huà zhuāng shī	—	huà zhuāng shì
化妆师	—	**化妆室**
メイクアップアーティスト	—	メーク室

Huàzhuāngshī zài nǎr?

化妆师在哪儿?

メイクさんはどこにいますか。

Zài huàzhuāngshì li.

在化妆室里。

メーク室にいます。

まとめ

Huàzhuāngshī zài huàzhuāngshì li.

化妆师在化妆室里。

メイクさんはメーク室にいます。

4

xiào mī mī	—	xiǎo mì mì
笑眯眯	—	**小秘密**
にこにこする	—	ちょっとした秘密

Nǐ zěnme yì zhěng tiān dōu xiàomīmī de?

你怎么一整天都笑眯眯的?

どうして一日中ニコニコしているの。

Wǒ yǒu yí ge xiǎomìmì, nǐ tīng bu tīng?

我有一个小秘密，你听不听?

ちょっとした秘密があるけど、聞きたいですか。

まとめ

Tā xiàomīmī de shuō : “wǒ yǒu yí ge xiǎomìmì.”

她笑眯眯地说：“我有一个小秘密。”

彼女はにこにこしながら、ちょっとした秘密があると言いました。

5

méi yì jiàn — měi yí jiàn

没意见 — 每一件

反論がない — すべて

Tā měi yí jiàn shì dōu zuòde hěn hǎo, zhè cì yě jiāogěi tā ba?

他每一件事都做得很好，这次也交给他吧？

彼はすべてのことを完璧にやってきましたので、今回もまかせますか。

Hǎo, wǒ méi yìjiàn.

好，我没意见。

いいですよ、賛成します。

まとめ

Měi yí jiàn shì tā dōu wánchéngde hěn hǎo, jiāogěi tā wǒ méi yìjiàn.

每一件事他都完成得很好，交给他我没意见。

彼はすべてのことを完璧に仕上げてきたので任せていいと思います。

6

xiàng jiāo shù — xiāng jiāo shù

橡胶树 — 香蕉树

ゴムの木 — バナナの木

Xiàngjiāo shì cóng xiāngjiāoshùshang lái de ma?

橡胶是从香蕉树上来的吗？

ゴムはバナナの木からできたものですか。

Bàituō, shì xiàngjiāoshù.

拜托，是橡胶树。

そんなばかな。ゴムの木ですよ。

まとめ

Xiàngjiāoshù hé xiāngjiāoshù bú shì yì zhǒng shù.

橡胶树和香蕉树不是一种树。

ゴムの木とバナナの木は違う木です。

7

ˊ ˉ ˋ		ˊ ˉ ˊ
yán jiū yuàn	—	yán jiū yuán
研究院	—	**研究员**
研究院	—	研究員

Dìzhì yánjiūyuàn de rén duō ma?

地质研究院的人多吗?

地質学研究院は人が多いですか。

Bù duō. Zhǐ yǒu bā ge yánjiūyuán.

不多。只有 8 个研究员。

いいえ。8 人の研究員しかいません。

まとめ

Dìzhì yánjiūyuàn yǒu bā ge yánjiūyuán.

地质研究院有 8 个研究员。

地質学研究院には 8 人の研究員がいます。

8

ˇ · ˇ		ˋ · ˋ
mǎi bu mǎi	—	mài bu mài
买不买	—	**卖不卖**
買うか	—	売るか

Nǐ mǎi bu mǎi?

你买不买?

買いますか。

Zài piányi yìdiǎnr mài bu mài?

再便宜一点儿卖不卖?

もっと安く売ってくれますか。

まとめ

Yí ge wèn mǎi bu mǎi, yí ge wèn mài bu mài.

一个问买不买，一个问卖不卖。

ひとりは買うかとたずね、ひとりは売るかとたずねる。

コラム② 三音節熟語

Track 104 / 105

三文字熟語の文字通りの意味が上に、そこから転じた意味が下に示されています。ふたつの意味のつながりを考えながら練習してみましょう。

第1声	第2声	第3声	第4声
dōng dào zhǔ **东道主** 東方向の道の主 主催側	wú dǐ dòng **无底洞** 底なしの穴 欲求が満たされない人や物	mǎ dà hā **马大哈** 中国の有名な漫才の中の人物 おっちょこちょいな人	hàn yā zi **旱鸭子** 泳げない鴨 金づち
fēi máo tuǐ **飞毛腿** 中国古代の郵便システムから出た言葉 非常に速く走る人	yáo qián shù **摇钱树** 金のなる木 お金を儲ける人あるいは物	ěr biān fēng **耳边风** 耳もとに流した風 話を気にせず、聞き流す	jì shēng chóng **寄生虫** 寄生虫 他人を頼り自分から努力しない人
qiāo mén zhuān **敲门砖** 門を開けるための使い捨てのレンガ 手づる	zhí cháng zi **直肠子** 腸がまっすぐである 一本気な人	tiě gōng jī **铁公鸡** 鉄でできた雄鶏 けちん坊	tì zuì yáng **替罪羊** 責任転嫁するための身代わり スケープゴート
pō lěng shuǐ **泼冷水** 水をかける 情熱を冷ます	qiáng tóu cǎo **墙头草** 塀の上に生える草 風見鶏	jǐng dǐ wā **井底蛙** 井の中の蛙 知識の狭い人	qì guǎn yán **气管炎** 気管支炎 恐妻家 ※"妻管严 qī guǎn yán"と発音が似ているため

コラム③ 日常会話三音節の慣用表現

Track 106 / 107

ここに取り上げたのは、日常生活でほんとうによく使う表現です。きれいな発音と声調でさりげなく言えるように練習しましょう。

第1声	第2声	第3声	第4声
xīn kǔ le 辛苦了 お疲れさま	nín xiān qǐng 您先请 どうぞお先に	liǎo bu qǐ 了不起 大したものだ	bài tuō le 拜托了 お願いします
chī bǎo le 吃饱了 おなかがいっぱい	má fan nín 麻烦您 お手数ですが	qǐng yuán liàng 请原谅 許してください	bù zhī dào 不知道 知りません
duō dà le 多大了 おいくつですか	bú kè qi 不客气 どういたしまして	wǒ qǐng kè 我请客 おごりますよ	tài hǎo le 太好了 よかった
zhēn de ma 真的吗 本当ですか	wú suǒ wèi 无所谓 どちらでもいいです	zěn me bàn 怎么办 どうしよう	duì bu qǐ 对不起 ごめんなさい

Part 3

四音節の四声トレーニング

Unit 1からUnit 4まで、補語などの文法のポイントを含んだ四音節の語をトレーニングをします。

Unit 1の「介詞」と「助動詞」は後ろの名詞や代名詞につけるように、Unit 2の「結果補語」はその前の動詞に続けて発音します。Unit 3で扱う「軽声」は前後の音に左右されて、高さが微妙に変化します。Unit 4の「方向補語」は後ろにくる目的語の最初の声調に注意して発音します。

このように、フォーカスを当てた語が、前後の語句とどのようなつながりをもつのかに注意して、中国語のリズムをつくりましょう。

Unit 1

「介詞」と「助動詞」を用いた四音節

このユニットの目標

「介詞」を後ろの名詞、「助動詞」を後ろの動詞につけるように発音する。

▼ このユニットで使う音声素材

109_h_slow ……… 四音節ずつ横にゆっくり読む
110_h_normal …… 四音節ずつ横に普通の速さで読む
111_v_slow ……… 四音節ずつ縦にゆっくり読む
112_v_normal …… 四音節ずつ縦に普通の速さで読む
113_h_slow ……… 四音節ずつ横にゆっくり読む
114_h_normal …… 四音節ずつ横に普通の速さで読む
115_v_slow ……… 四音節ずつ縦にゆっくり読む
116_v_normal …… 四音節ずつ縦に普通の速さで読む
117_h_shuffle …… 四音節ずつ横に順番をシャフルして読む
118_v_shuffle …… 四音節ずつ縦に順番をシャフルして読む
119_h_shuffle …… 四音節ずつ横に順番をシャフルして読む
120_v_shuffle …… 四音節ずつ縦に順番をシャフルして読む
121_h_J ………… 四音節ずつ日本語を横に読む（日本語のあとにポーズがあり、その間に中国語の発音をします。その後に中国語が読まれます。以下、同様）
122_v_J ………… 四音節ずつ日本語を縦に読む
123_h_J ………… 四音節ずつ日本語を横に読む
124_v_J ………… 四音節ずつ日本語を縦に読む
125_shuffle1_J … 四音節ずつシャフルして読む
126_shuffle2_J … 四音節ずつシャフルして読む

① ここではできるだけ音声に集中して声調のトレーニングをします。音のイメージをしっかりつかんでください。

Track 109 / 110 / 111 / 112 / 113 / 114 / 115 / 116

	1声	2声	3声	4声
介詞	gēn mā ma qù	hé tā chǎo jià	gěi nǐ xiě xìn	yòng Hàn yǔ shuō
介詞	gēn lǎo shī xué	hé tā shāng liang	gěi tā bǔ kè	yòng qiān bǐ xiě
助動詞	gāi jiǎng dào lǐ	néng shuō Hàn yǔ	děi nǔ lì xué	huì dǎ wǎng qiú
助動詞	gāi dǒng lǐ mào	néng qù xué xiào	děi rèn zhēn tīng	huì xiě Hàn zì

ミニコラム 15 介詞

中国語の“介词”は、日本語の「てにをは」のようなもので、動作·行為の時間、場所、方向、範囲、対象などを表します。例えば“跟”、“和”、“给”は動作·行為の対象「と」や「に」、“用”は方法・手段「で」に近い働きをします。日本語と大きく違うのは、この「てにをは」にあたる言葉に、否定の「～ない」や可能の「～れる・られる」に当たる“不”、“能”などを直接くっつけることです。

例えば、日本語は動詞を否定形にして「～で……しない」と言いますが、中国語では＜～で……する＞は変えず、＜～ない＞＋＜～で……する＞という形にします。例えば、“不跟妈妈去”（＜ない＞＋＜母と行く＞→母と行かない)、“能用汉语说”（＜できる＞＋＜中国語で話す＞→中国語で話せる）といった具合です。

② 文字の意味を理解した後、テキストを見て、音声を聞きながら声を出すパラレルリーディングを中心に練習しましょう。

Track 109 / 110 / 111 / 112 / 113 / 114 / 115 / 116

	1声	2声	3声	4声
介詞	gēn mā ma qù 跟妈妈去 母と行く	hé tā chǎo jià 和他吵架 彼と喧嘩する	gěi nǐ xiě xìn 给你写信 あなたに手紙を書く	yòng Hàn yǔ shuō 用汉语说 中国語で話す
介詞	gēn lǎo shī xué 跟老师学 先生について勉強する	hé tā shāng liang 和他商量 彼と相談する	gěi tā bǔ kè 给她补课 彼女に補習をする	yòng qiān bǐ xiě 用铅笔写 鉛筆で書く
助動詞	gāi jiǎng dào lǐ 该讲道理 道理をわきまえるべき	néng shuō Hàn yǔ 能说汉语 中国語を話せる	děi nǔ lì xué 得努力学 努力して勉強すべき (努力して勉強しなければならない)	huì dǎ wǎng qiú 会打网球 テニスができる
助動詞	gāi dǒng lǐ mào 该懂礼貌 礼儀をわきまえるべき	néng qù xué xiào 能去学校 学校に行ける	děi rèn zhēn tīng 得认真听 真剣に聞くべき (真剣に聞かなければならない)	huì xiě Hàn zì 会写汉字 漢字が書ける

③ 音を聞いて声を出しながら、連続する四音節の声調を意識して、漢字を見れば四声がわかるまで、しっかり練習しましょう。

Track 109 / 110 / 111 / 112 / 113 / 114 / 115 / 116

	第 1 声	第 2 声	第 3 声	第 4 声
介詞	ˉ ˉ · ˋ	ˊ ˉ ˇ ˋ	ˊ ˊ ˇ ˋ	ˋ ˋ ˇ ˉ
	跟妈妈去	和他吵架	给你写信	用汉语说
	ˉ ˇ ˉ ˊ	ˊ ˉ ˉ ·	ˇ ˉ ˇ ˋ	ˋ ˉ ˊ ˇ
	跟老师学	和他商量	给她补课	用铅笔写
助動詞	ˉ ˇ ˋ ˇ	ˊ ˉ ˋ ˇ	ˊ ˇ ˋ ˊ	ˋ ˊ ˇ ˊ
	该讲道理	能说汉语	得努力学	会打网球
	ˉ ˊ ˇ ˋ	ˊ ˋ ˊ ˋ	ˇ ˋ ˉ ˉ	ˋ ˇ ˋ ˋ
	该懂礼貌	能去学校	得认真听	会写汉字

ミニコラム 16 你好！

「"你好！" って、素晴らしい挨拶ですね」と初級の授業後、ある方に言われました。「誰かと会ったとき、まず相手を褒めてから始まるから」。実は、言われてみるまで、そんな発想をしたことはありませんでした。「あなたって、いいね！」そんなつもりで挨拶している中国人は皆無でしょう。でも、この方の愉快なご指摘以来、「あなたって、いいね！」が脳裏に浮かぶようになりました。

日本の挨拶は「こんにちは（今日はお日柄もよろしく……）」「さようなら（左様なら、これにて失礼……）」ちょっとサムライ風の渋い挨拶と言いましょうか、律儀な日本らしさが出ているようです。

4 漢字を見てどのくらい読めるか音読してみましょう。モデル音声で確認をして、弱点を集中的に練習しましょう。

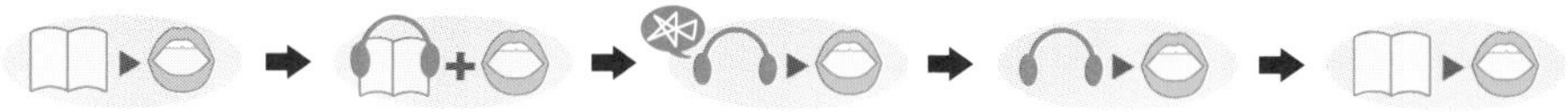

Track 110 / 112 / 114 / 116 / 117 / 118 / 119 / 120

	第 1 声	第 2 声	第 3 声	第 4 声
介詞	跟妈妈去	和他吵架	给你写信	用汉语说
	跟老师学	和他商量	给她补课	用铅笔写
助動詞	该讲道理	能说汉语	得努力学	会打网球
	该懂礼貌	能去学校	得认真听	会写汉字

＊横シャフル、縦シャフルの順番は *p*.225 を参照。

5 このユニットの力試しです。日本語の後にポーズがあるので、該当する中国語を声に出して言ってみましょう。その後に正しい中国語の発音が読まれます。後について声に出しながら確認しましょう。Track 125、126 は全部の語句をシャフルします。

Track 121 / 122 / 123 / 124 / 125 / 126

	第 1 声	第 2 声	第 3 声	第 4 声
介詞	母と行く	彼と喧嘩する	あなたに手紙を書く	中国語で話す
介詞	先生について勉強する	彼と相談する	彼女に補習をする	鉛筆で書く
助動詞	道理をわきまえるべき	中国語を話せる	努力して勉強すべき	テニスができる
助動詞	礼儀をわきまえるべき	学校に行ける	真剣に聞くべき	漢字が書ける

＊日本語シャフルの順番は p.227 を参照。

Unit 2

「結果補語」のある四音節

(このユニットの目標)

「結果補語」をその前にくる動詞に続けて読み、リズムを出して読む。

▼ このユニットで使う音声素材

127_h_slow ……… 四音節ずつ横にゆっくり読む

128_h_normal …… 四音節ずつ横に普通の速さで読む

129_v_slow ……… 四音節ずつ縦にゆっくり読む

130_v_normal …… 四音節ずつ縦に普通の速さで読む

131_h_shuffle …… 四音節ずつ横に順番をシャフルして読む

132_v_shuffle …… 四音節ずつ縦に順番をシャフルして読む

133_h_J ………… 四音節ずつ日本語を横に読む（日本語のあとにポーズがあり、その間に中国語の発音をします。その後に中国語が読まれます。以下、同様）

134_v_J ………… 四音節ずつ日本語を縦に読む

135_shuffle_J … 順番を完全にシャフルして日本語を読む

① ここではできるだけ音声に集中して四声のトレーニングをします。音のイメージをしっかりつかんでください。

Track 127 / 128 / 129 / 130

	第1声	第2声	第3声	第4声
結果補語	chī wán zǎo fàn	xué huì yóu yǒng	xiě wán zuò yè	yù jiàn shú rén
	tīng wán guǎng bō	wén dào wèi dào	zhǎo dào cuò wù	kàn jiàn chē huò
	zhuā dào bǎ bǐng	tián cuò biǎo gé	xiě cuò hào mǎ	zhì hǎo gǎn mào
	shōu dào huí xìn	ná cuò yǔ sǎn	dǎ cuò diàn huà	zuò hǎo wǎn fàn

ミニコラム 17　結果補語

日本語では、「書き終える」の「終える」のように＜複合動詞＞で表すところを中国語では、＜結果補語＞で表します。“写完”（書き終える）“听懂”（聴き取れる）の“完”“懂”がそれにあたります。また「～まで……する」という場合＜動詞＋“到”＋時間（場所）＞という文型を使いますが、これも一種の結果補語です。例えば“学到夜里两点”（夜中の２時まで勉強する）という文がそうです。この“夜里两点”（夜中の２時）を“老”（老いる）にすると、“学到老”（老いるまで学ぶ）となります。“活到老，学到老”（老いるまで生き、老いるまで学ぶ）とは「生涯学習」の理念のひとつ「生ある限り学ぶ」の中国語版になります。

② 文字の意味を理解した後、テキストを見て、音声を聞きながら声を出すパラレルリーディングを中心に練習しましょう。

Track 127 / 128 / 129 / 130

	第1声	第2声	第3声	第4声
結果補語	chī wán zǎo fàn 吃完早饭 朝食を食べ終える	xué huì yóu yǒng 学会游泳 水泳をマスターする	xiě wán zuò yè 写完作业 宿題を書き終える	yù jiàn shú rén 遇见熟人 知り合いと出会う
	tīng wán guǎng bō 听完广播 ラジオを聞き終える	wén dào wèi dào 闻到味道 匂いを嗅ぎ付ける	zhǎo dào cuò wù 找到错误 誤りを見つける	kàn jiàn chē huò 看见车祸 交通事故を目撃する
	zhuā dào bǎ bǐng 抓到把柄 （他人の）弱みをにぎる	tián cuò biǎo gé 填错表格 表を記入し間違える	xiě cuò hào mǎ 写错号码 番号を書き間違える	zhì hǎo gǎn mào 治好感冒 風邪が治る
	shōu dào huí xìn 收到回信 返事をもらう	ná cuò yǔ sǎn 拿错雨伞 傘を取り間違える	dǎ cuò diàn huà 打错电话 電話をかけ間違える	zuò hǎo wǎn fàn 做好晚饭 夕食を作り終える

③ 音を聞いて声を出しながら、連続する四音節の四声を意識して、漢字を見れば四声がわかるまで、しっかり練習しましょう。

Track 127 / 128 / 129 / 130

	第1声	第2声	第3声	第4声
結果補語	ˉ ˊ ˇ ˋ	ˊ ˋ ˊ ˇ	ˇ ˊ ˋ ˋ	ˋ ˋ ˊ ˊ
	吃完早饭	学会游泳	写完作业	遇见熟人
	ˉ ˊ ˇ ˉ	ˊ ˋ ˋ ˋ	ˇ ˋ ˋ ˋ	ˋ ˋ ˉ ˋ
	听完广播	闻到味道	找到错误	看见车祸
	ˉ ˋ ˊ ˇ	ˊ ˋ ˇ ˊ	ˇ ˋ ˋ ˇ	ˋ ˊ ˇ ˋ
	抓到把柄	填错表格	写错号码	治好感冒
	ˉ ˋ ˊ ˋ	ˊ ˋ ˊ ˇ	ˇ ˋ ˋ ˋ	ˋ ˊ ˇ ˋ
	收到回信	拿错雨伞	打错电话	做好晚饭

ミニコラム 18 “对不起”＝「すみません」？

今でこそ慣れましたが、来日間もない頃「すみません」という言葉を頻繁に聞き、年柄年中、謝られているように感じて、違和感を覚えたものです。学生に中国語の挨拶を教えたついでに「すみません」について聞いてみました。「謝罪」「呼びかけ」という答えは出るものの、「感謝」はすぐ思いつかないようでした。

どうも日本人は、普通に感謝すべき場面でも謝ることが多いと感じます。例えばお茶をいれてもらったとき、「ありがとう」は少し上から目線、一方「すみません」は、御手間をとらせて申し訳ないという、へりくだった意識があるように思います。明るく“谢谢”と言う中国人と、かしこまって「すみません……」という日本人。文化的な差が随分大きいと感じます。

④ 漢字を見てどのくらい読めるか音読してみましょう。モデル音声で確認をして、弱点を集中的に練習しましょう。

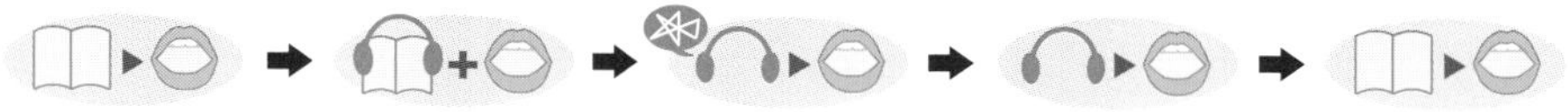

Track 128 / 130 / 131 / 132

	第1声	第2声	第3声	第4声
結果補語	吃完早饭	学会游泳	写完作业	遇见熟人
	听完广播	闻到味道	找到错误	看见车祸
	抓到把柄	填错表格	写错号码	治好感冒
	收到回信	拿错雨伞	打错电话	做好晚饭

＊横シャフル、縦シャフルの順番は *p*.225 を参照。

5 このユニットの力試しです。日本語の後にポーズがあるので、該当する中国語を声に出して言ってみましょう。その後に正しい中国語の発音が読まれます。後について声に出しながら確認しましょう。Track 135 は全部の語句をシャフルします。

Track 133 / 134 / 135

	第１声	第２声	第３声	第４声
結果補語	朝食を食べ終える	水泳をマスターする	宿題を書き終える	知り合いと出会う
	ラジオを聞き終える	匂いを嗅ぎ付ける	誤りを見つける	交通事故を目撃する
	（他人の）弱みをにぎる	表を記入し間違える	番号を書き間違える	風邪が治る
	返事をもらう	傘を取り間違える	電話をかけ間違える	夕食を作り終える

＊日本語シャフルの順番は p.227 を参照。

Unit 3

「様態補語」のある四音節

（このユニットの目標）

軽声の変化を意識して発音しよう。
“得”を前の動詞と一緒に読むように。

▼このユニットで使う音声素材

136_h_slow ……… 四音節ずつ横にゆっくり読む

137_h_normal …… 四音節ずつ横に普通の速さで読む

138_v_slow ……… 四音節ずつ縦にゆっくり読む

139_v_normal …… 四音節ずつ縦に普通の速さで読む

140_h_shuffle …… 四音節ずつ横に順番をシャフルして読む

141_v_shuffle …… 四音節ずつ縦に順番をシャフルして読む

142_h_J ………… 四音節ずつ日本語を横に読む（日本語のあとにポーズがあり、その間に中国語の発音をします。その後に中国語が読まれます。以下、同様）

143_v_J ………… 四音節ずつ日本語を縦に読む

144_shuffle_J … 順番を完全にシャフルして日本語を読む

① ここではできるだけ音声に集中して四声のトレーニングをします。音のイメージをしっかりつかんでください。

Track 136 / 137 / 138 / 139

	第1声	第2声	第3声	第4声
様態補語	chuān de tài duō	wán de tòng kuài	pǎo de fēi kuài	shuì de xiāng tián
	chī de bù shǎo	liú de shùn chàng	jiǎng de míng bai	tiào de hěn gāo
	shuō de liú lì	téng de lì hai	zhǎng de kě ài	jì de zhā shi
	tīng de qīng chu	pá de hěn gāo	xiě de yōu měi	zuò de piào liang

ミニコラム 19 様態補語

料理は“好吃！”と褒めますが、作った人を褒めたい場合は“你妈妈”（あなたのお母さん）＋“做得”（作るのが）＋“很好”（とてもうまい）となります。この“得”は、動作・様態を表す補語のしるしで「動（形）＋“得”＋補」の形で使います。否定は「動（形）＋“得”＋“不”＋補」となります。後ろの補語には形容詞が多く、通常は形容詞の前に“很”“非常”などを使います。

ところで、“de”と発音するものには“的”、“地”、“得”などがありますが、それぞれ「連体修飾語」、「連用修飾語」、「補語」と文法的に違うものです。聞くだけではわかりにくいかもしれませんが、心配ご無用。日本語も「講演で」「後援で」「好演で」と同音意義語がありますが混乱しません。「多聴多読」して慣れましょう。

② 文字の意味を理解した後、テキストを見て、音声を聞きながら声を出すパラレルリーディングを中心に練習しましょう。

Track 136 / 137 / 138 / 139

	第1声	第2声	第3声	第4声
様態補語	chuān de tài duō 穿得太多 たくさん着ている	wán de tòng kuài 玩得痛快 思いっきり遊ぶ	pǎo de fēi kuài 跑得飞快 速く走る	shuì de xiāng tián 睡得香甜 ぐっすりと眠る
	chī de bù shǎo 吃得不少 たくさん食べる	liú de shùn chàng 流得顺畅 スムーズに流れる	jiǎng de míng bai 讲得明白 はっきり説明する	tiào de hěn gāo 跳得很高 高く跳ぶ
	shuō de liú lì 说得流利 流暢に話す	téng de lì hai 疼得厉害 ひどく痛む	zhǎng de kě ài 长得可爱 容姿が可愛い	jì de zhā shi 记得扎实 しっかりと覚えている
	tīng de qīng chu 听得清楚 はっきり聞こえる	pá de hěn gāo 爬得很高 高く登る	xiě de yōu měi 写得优美 きれいに書く	zuò de piào liang 做得漂亮 うまく処理する

③ 音を聞いて声を出しながら、連続する四音節の四声を意識して、漢字を見れば四声がわかるまで、しっかり練習しましょう。

Track 136 / 137 / 138 / 139

	第１声	第２声	第３声	第４声
様態補語	ˉ · ˋ ˉ 穿得太多	ˊ · ˋ ˋ 玩得痛快	ˇ · ˉ ˋ 跑得飞快	ˋ · ˉ ˊ 睡得香甜
	ˉ · ˋ ˇ 吃得不少	ˊ · ˋ ˋ 流得顺畅	ˇ · ˊ · 讲得明白	ˋ · ˇ ˉ 跳得很高
	ˉ · ˊ ˋ 说得流利	ˊ · ˋ · 疼得厉害	ˇ · ˇ ˋ 长得可爱	ˋ · ˉ · 记得扎实
	ˉ · ˉ · 听得清楚	ˊ · ˇ ˉ 爬得很高	ˇ · ˉ ˇ 写得优美	ˋ · ˋ · 做得漂亮

ミニコラム 20 “大家来”

教科書を作るとき、皆さんが“流利”（流暢）になるように願い、登場人物によく“刘力”“刘丽”という名前を付けます。このように同音異義の漢字を使って、表現をより生き生きさせる役割を果たしているところは、日本語の「洒落」と似ている所があるように思います。

そう言えば、なぜ日本語の「駄洒落」が「寒い寒い」と言われながら、なくならないか時々考えるのですが、いくつかの理由があるように思えます。第一に、日本人は駄洒落を理解できるだけの豊かな語彙を持っている。第二に、ユーモアのセンスが優れている。第三に、その「寒さ」に耐える寛容な精神を持っている。第四に、それを楽しむだけの心の余裕がある。それに、和歌の中に「松⇒待つ」などの掛け詞があるように古い伝統もありますし、NHK の子供番組でも言葉遊びとして、「駄洒落」を教えていますので、小さい頃からそのセンスが磨かれているからだと思います。

4 漢字を見てどのくらい読めるか音読してみましょう。モデル音声で確認をして、弱点を集中的に練習しましょう。

Track 137 / 139 / 140 / 141

	第1声	第2声	第3声	第4声
様態補語	穿得太多	玩得痛快	跑得飞快	睡得香甜
	吃得不少	流得顺畅	讲得明白	跳得很高
	说得流利	疼得厉害	长得可爱	记得扎实
	听得清楚	爬得很高	写得优美	做得漂亮

＊横シャフル、縦シャフルの順番は *p*.225 を参照。

5 このユニットの力試しです。日本語の後にポーズがあるので、該当する中国語を声に出して言ってみましょう。その後に正しい中国語の発音が読まれます。後について声に出しながら確認しましょう。Track 144 は全部の語句をシャフルします。

Track 142 / 143 / 144

	第1声	第2声	第3声	第4声
様態補語	たくさん着ている	思いっきり遊ぶ	速く走る	ぐっすりと眠る
様態補語	たくさん食べる	スムーズに流れる	はっきり説明する	高く跳ぶ
様態補語	流暢に話す	ひどく痛む	容姿が可愛い	しっかりと覚えている
様態補語	はっきり聞こえる	高く登る	きれいに書く	うまく処理する

＊日本語シャフルの順番は p.227 を参照。

Unit 4

「方向補語」のある四音節

（このユニットの目標）

「方向補語」を前の動詞に続けて発音し、後ろにくる目的語の最初の声調に注意して発音できるようにする。

▼このユニットで使う音声素材

145_h_slow ……… 四音節ずつ横にゆっくり読む

146_h_normal …… 四音節ずつ横に普通の速さで読む

147_v_slow ……… 四音節ずつ縦にゆっくり読む

148_v_normal …… 四音節ずつ縦に普通の速さで読む

149_h_shuffle …… 四音節ずつ横に順番をシャフルして読む

150_v_shuffle …… 四音節ずつ縦に順番をシャフルして読む

151_h_J ………… 四音節ずつ日本語を横に読む（日本語のあとにポーズがあり、その間に中国語の発音をします。その後に中国語が読まれます。以下、同様）

152_v_J ………… 四音節ずつ日本語を縦に読む

153_shuffle_J … 順番を完全にシャフルして日本語を読む

① ここではできるだけ音声に集中して四声のトレーニングをします。音のイメージをしっかりつかんでください。

Track 145 / 146 / 147 / 148

	第1声	第2声	第3声	第4声
方向補語	cāi chū jié guǒ	ná chū shǒu jī	zǒu chū guó mén	jiào chū míng zi
	shōu huí qiàn kuǎn	ná huí yào shi	zǒu huí bīn guǎn	dài huí shū cài
	chuān qǐ qí páo	ná qǐ kè běn	jǔ qǐ bēi zi	tiào qǐ jiē wǔ
	tīng jìn quàn shuō	ná jìn fáng jiān	zǒu jìn dà lóu	jì jìn zhàng běn

ミニコラム 21 方向補語

動作主または受け手の移動の方向を表すのが方向補語です。例えば“进来”、“出去”の“～来”“～去”などで、日本語の「～てくる」「～ていく」と似たようなものです。

“进来”のような「動＋“来”」の形は、単純方向補語と言い、もし、どのように「入ってくるか」を表現したい場合は、「走って入ってくる」（“跑进来”）、「歩いて入ってくる」（“走进来”）のように、より細かく表現することもできます。「動＋単純方向補語」という複合方向補語を使うやり方です。

代表的な単純方向補語には、“上、下、进、出、回、过、起、来、去”があります。日本語にも「入り込む」「飛び出す」「押し入る」など似たものがあるので、覚えやすいかもしれません。

② 文字の意味を理解した後、テキストを見て、音声を聞きながら声を出すパラレルリーディングを中心に練習しましょう。

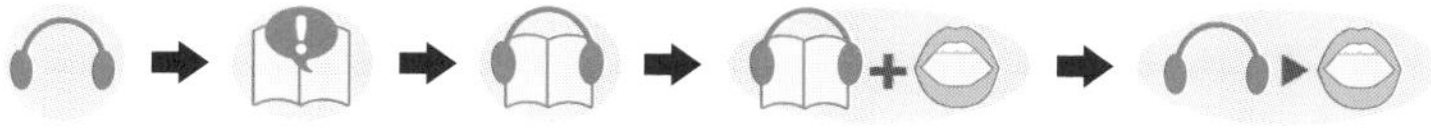

Track 145 / 146 / 147 / 148

方向補語

第1声	第2声	第3声	第4声
cāi chū jié guǒ 猜出结果 結果を当てる	ná chū shǒu jī 拿出手机 携帯電話を取り出す	zǒu chū guó mén 走出国门 国から出る	jiào chū míng zi 叫出名字 名前を呼び出す
shōu huí qiàn kuǎn 收回欠款 借金を取り戻す	ná huí yào shi 拿回钥匙 鍵を取り戻す	zǒu huí bīn guǎn 走回宾馆 ホテルに歩いて帰る	dài huí shū cài 带回蔬菜 野菜を持ち帰る
chuān qǐ qí páo 穿起旗袍 チャイナドレスを着る	ná qǐ kè běn 拿起课本 テキストを手に取る	jǔ qǐ bēi zi 举起杯子 グラスを持ち上げる	tiào qǐ jiē wǔ 跳起街舞 ストリートダンスを踊り始める
tīng jìn quàn shuō 听进劝说 忠告を聴き入れる	ná jìn fáng jiān 拿进房间 部屋に持ち込む	zǒu jìn dà lóu 走进大楼 ビルに入る	jì jìn zhàng běn 记进帐本 帳簿に記入する

③ 音を聞いて声を出しながら、連続する四音節の四声を意識して、漢字を見れば四声がわかるまで、しっかり練習しましょう。

Track 145 / 146 / 147 / 148

	第１声	第２声	第３声	第４声
方向補語	ˉ ˉ ˊ ˇ 猜出结果	ˊ ˉ ˇ ˉ 拿出手机	ˇ ˉ ˊ ˊ 走出国门	ˋ ˉ ˊ · 叫出名字
	ˉ ˊ ˋ ˇ 收回欠款	ˊ ˊ ˋ · 拿回钥匙	ˇ ˊ ˉ ˇ 走回宾馆	ˋ ˊ ˉ ˋ 带回蔬菜
	ˉ ˇ ˊ ˊ 穿起旗袍	ˊ ˇ ˋ ˇ 拿起课本	ˊ ˇ ˉ · 举起杯子	ˋ ˇ ˉ ˇ 跳起街舞
	ˉ ˋ ˋ ˉ 听进劝说	ˊ ˋ ˊ ˉ 拿进房间	ˇ ˋ ˋ ˊ 走进大楼	ˋ ˋ ˋ ˇ 记进帐本

ミニコラム 22 “落叶归根”と“落地生根”

お正月や清明節になると、お墓参りのためたくさんの華僑（外国に移住した中国人）・華人（外国籍を持つ中国系の人）が横浜の中華墓地を訪れます。

“落叶归根”の伝統がある一方、多くの華僑・華人は、しっかり日本の大地に根を下ろし、“入乡随俗”を大切に、その土地の人々と助け合いながら地域社会の発展に貢献してきました。

華僑の母が生まれた故郷である横浜に行くたびに“落地生根”の新・老華僑の思いがひしひしと伝わってきて、また、この第二の故郷との絆もより強くなっていくような気がします。

――港より 帰る木の葉を 見送りて 何処帰らむ ここは故郷――

4 漢字を見てどのくらい読めるか音読してみましょう。モデル音声で確認をして、弱点を集中的に練習しましょう。

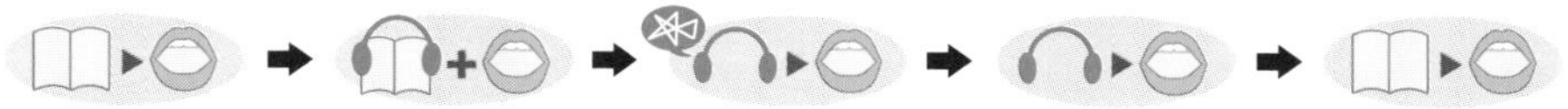

Track 146 / 148 / 149 / 150

	第1声	第2声	第3声	第4声
方向補語	猜出结果	拿出手机	走出国门	叫出名字
	收回欠款	拿回钥匙	走回宾馆	带回蔬菜
	穿起旗袍	拿起课本	举起杯子	跳起街舞
	听进劝说	拿进房间	走进大楼	记进帐本

＊横シャフル、縦シャフルの順番は p.225 を参照。

5

このユニットの力試しです。日本語の後にポーズがあるので、該当する中国語を声に出して言ってみましょう。その後に正しい中国語の発音が読まれます。後について声に出しながら確認しましょう。Track 153 は全部の語句をシャフルします。

Track 151 / 152 / 153

	第 1 声	第 2 声	第 3 声	第 4 声
方向補語	結果を当てる	携帯電話を取り出す	国から出る	名前を呼び出す
	借金を取り戻す	鍵を取り戻す	ホテルに歩いて帰る	野菜を持ち帰る
	チャイナドレスを着る	テキストを手に取る	グラスを持ち上げる	ストリートダンスを踊り始める
	忠告を聴き入れる	部屋に持ち込む	ビルに入る	帳簿に記入する

＊日本語シャフルの順番は *p*.227 を参照。

Unit 5

さまざまな四音節トレーニング

（このユニットの目標）

練習した四音節フレーズの声調が、長い文の中で使われたときに崩れないようにする。

▼このユニットで使う音声素材

154_v_normal…… 四音節ずつ縦に普通の速さで読む
155_v_pause …… 復唱できるポーズを入れながら、縦に普通の速さで読む
156_v_normal…… 四音節ずつ縦に普通の速さで読む
157_v_pause …… 復唱できるポーズを入れながら、縦に普通の速さで読む
158_v_normal…… 四音節ずつ縦に普通の速さで読む
159_v_pause …… 復唱できるポーズを入れながら、縦に普通の速さで読む
160_v_normal…… 四音節ずつ縦に普通の速さで読む
161_v_pause …… 復唱できるポーズを入れながら、縦に普通の速さで読む

① 第1声から始まる言葉の練習です。Track 154 で音声を聞いた後、Track 155 のポーズの後について復唱しましょう。

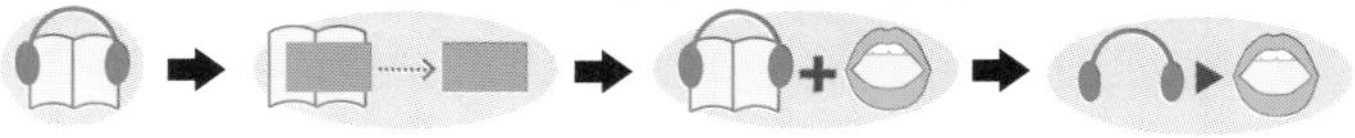

Track 154 / 155

---

❶ 

tā zài shàng kè
她在上课

Xiǎo Huā jīntiān bú zài jiā, tā zài shàngkè.
小花今天不在家，她在上课。
花ちゃんは今日家にいなくて、授業に出ています。

---

❷ 

zhuō shang yǒu xìn
桌上有信

Zhuōshang yǒu xìn, nǐ dǎkāi kànkan shì shéi jìlái de.
桌上有信，你打开看看是谁寄来的。
机の上に手紙があるから、開けて誰からのものか確認してください。

---

❸ 

huān tiān xǐ dì
欢天喜地

Yào guònián le, dàochù dōu shì yí piàn huān tiān xǐ dì de qìfen.
要过年了，到处都是一片欢天喜地的气氛。
もうすぐお正月ですね、どこにも大変楽しそうな雰囲気が溢れています。

---

❹ 

kāi huái dà xiào
开怀大笑

Tīngle tā shuō de xiàohua, dàjiā dōu kāi huái dà xiào.
听了她说的笑话，大家都开怀大笑。
彼女が話した笑い話を聞いて、みんな大笑いでした。

② 第２声から始まる言葉の練習です。Track 156 で音声を聞いた後、Track 157 のポーズの後について復唱しましょう。

Track 156 / 157

⑤

shéi zài fáng jiān

谁在房间

Lǐmiàn yǒu shēngyīn, shéi zài fángjiān?

里面有声音，谁在房间？

中で少し声が聞こえるようですが、部屋に誰がいるのですか。

⑥

shí dào shī wù

拾到失物

Shídào shīwù zhīhòu yào mǎshàng jiāogěi jǐngchá.

拾到失物之后要马上交给警察。

落し物を拾ったらすぐ警察に届けてください。

⑦

rén jiān tiān táng

人间天堂

Jiǔzhàigōu fēngjǐng yōuměi, zhēn shì rénjiān tiāntáng.

九寨沟风景优美，真是人间天堂。

九寨溝の風景はすごくきれいで、まるで天国のようです。

⑧

rú shì zhòng fù

如释重负

Kǎoshì jiéshù hòu, wǒ rú shì zhòng fù.

考试结束后，我如释重负。

試験が終わって、肩の荷を下したように楽になった。

③ 第３声から始まる言葉の練習です。Track 158 で音声を聞いた後、Track 159 のポーズの後について復唱しましょう。

Track 158 / 159

---

❾

nǐ yào gàn má

你要干嘛

Zěnme tūrán jiù lái le, jīntiān nǐ yào gànmá?

怎么突然就来了，今天你要干嘛？

なぜ急に来たのですか、今日は何をするつもりですか。

---

❿

qǐng pái duì jìn

请排队进

Jīntiān kèrén bǐjiào duō, dàjiā qǐng páiduì jìn.

今天客人比较多，大家请排队进。

今日はお客さんが多いので、みんな順番で入ってください。

⓫

zhěng dùn jì lǜ

整顿纪律

Bānjí zuìjìn bù tīnghuà de xuésheng hěn duō, xūyào zhěngdùn jìlǜ.

班级最近不听话的学生很多，需要整顿纪律。

クラスでは最近話を聞かない学生が多いので、規律をちゃんと整えるべきです。

⓬

lǚ jiào bù gǎi

屡教不改

Rúguǒ nǐ lǚ jiào bù gǎi, lǎoshī jiù huì qǐng nǐ jiāzhǎng.

如果你屡教不改，老师就会请你家长。

もし何度注意しても改めないのなら、先生があなたの親に来てもらうことになりますよ。

④ 第４声から始まる言葉の練習です。Track 160 で音声を聞いた後、Track 161 のポーズの後について復唱しましょう。

Track 160 / 161

⑬

zhè shì wǒ jiā

这是我家

Zhè shì wǒ jiā, qǐng jìn.

这是我家，请进。

ここは私のうちです。どうぞお上がりください。

⑭

ràng tā xiān lái

让她先来

Nǚshì yōuxiān, ràng tā xiān lái ba.

女士优先，让她先来吧。

レディーファーストなので、彼女を先にしてあげてください。

⑮

shì yǐ zhì cǐ

事已至此

Shì yǐ zhì cǐ, wǒmen zhǐ néng xiǎng bànfǎ jiějué tā le.

事已至此，我们只能想办法解决它了。

こうなったからには、なんとかして解決するしかありません。

⑯

jì wǎng bù jiū

既往不究

Jìrán nǐ yǐjīng rèncuò le, wǒmen jiù jì wǎng bù jiū le.

既然你已经认错了，我们就既往不究了。

あなたは既に誤りを認めているので、今回のことはなかったことにしましょう。

コラム④　中国の料理名

Track 162 / 163

ここでご紹介するのは、比較的ポピュラーな中華料理の数々です。レストランでちゃんと通じるように注文できるようになりたいですね。

第1声		第2声	
sān xiān shuǐ jiǎo 三鲜水饺 三種類の材料の餃子	qīng jiāo ròu sī 青椒肉丝 チンジャオロース	yú xiāng ròu sī 鱼香肉丝 魚香味の肉の細切り炒め	hóng shāo pái gǔ 红烧排骨 スペアリブの醤油味
fān qié chǎo dàn 番茄炒蛋 トマトの卵炒め	zī rán yáng ròu 孜然羊肉 ラムのクミン炒め	háo yóu shēng cài 蚝油生菜 レタスのオイスターソース炒め	má pó dòu fu 麻婆豆腐 マーボー豆腐
gōng bǎo jī dīng 宫保鸡丁 鶏肉とナッツ炒め	yāo guǒ jī dīng 腰果鸡丁 鶏肉とカシューナッツ炒め	lóng jǐng xiā rén 龙井虾仁 エビの龍井茶炒め	shí jǐn chǎo fàn 什锦炒饭 五目チャーハン
cōng bào yáng ròu 葱爆羊肉 ネギとマトンの強火炒め	suān là tāng miàn 酸辣汤面 サンラータンメン	táng cù lǐ ji 糖醋里脊 豚ヒレ肉の甘酢かけ	pí dàn dòu fu 皮蛋豆腐 ピータン豆腐

第3声		第4声	
Běi jīng kǎo yā 北京烤鸭 北京ダック	fěn sī dùn ròu 粉丝炖肉 春雨肉煮込み	mì zhī chā shāo 蜜汁叉烧 蜜汁チャーシュー	là jiāo chǎo ròu 辣椒炒肉 肉の唐辛子炒め
nǎi yóu cài xīn 奶油菜心 中国野菜のクリームかけ	nǎi yóu shí xiān 奶油时鲜 新鮮野菜のクリームかけ	suàn róng qié zi 蒜蓉茄子 にんにく風味のなす炒め	suàn ní bái ròu 蒜泥白肉 豚肉のにんにくソースがけ
tiě bǎn yóu yú 铁板鱿鱼 イカの鉄板焼き	shuǐ zhǔ niú ròu 水煮牛肉 牛肉の唐辛子入り水煮	sì xǐ wán zi 四喜丸子 スーシーワンズ（肉だんご）	bào chǎo yāo huā 爆炒腰花 ブタ腎臓の強火炒め
jiǔ cài hé zi 韭菜盒子 ニラ餃子	jiǔ cài chǎo dàn 韭菜炒蛋 ニラたま炒め	jiàng bào jī dīng 酱爆鸡丁 鶏肉の味噌炒め	ròu mò fěn sī 肉末粉丝 春雨と豚挽き肉の炒め

Part 4

五音節の四声トレーニング

ここでは五音節のトレーニングをします。語と語のつながり方もだんだん複雑になってきます。単調に五音節をひとつひとつ読んでいくのではなく、フレーズのつながりと、間の取り方にいっそうの注意を払って声に出して読み、リズムをつかみましょう。

Unit 1では、後にくる音節によって変化する“不”を扱っていますが、その“不”が軽声になった場合は、さらに微妙になるので注意して発音しましょう。Unit 2では、これもやはり前にくる音節で**四声**が変化する軽声の“了”を扱います。

また「二重目的語」は、1個目と2個目の目的語の「間」に、「兼語」では後ろの「間」に注意して発音しましょう。

Unit 1

“不” と「可能補語」のある五音節

(このユニットの目標)

後ろにくる音節で変わる「不」の変化や可能補語のリズムに気をつけて練習しよう。

▼ このユニットで使う音声素材

165_h_slow ……… 五音節ずつ横にゆっくり読む

166_h_normal …… 五音節ずつ横に普通の速さで読む

167_v_slow ……… 五音節ずつ縦にゆっくり読む

168_v_normal …… 五音節ずつ縦に普通の速さで読む

169_h_shuffle …… 五音節ずつ横に順番をシャフルして読む

170_v_shuffle …… 五音節ずつ縦に順番をシャフルして読む

171_h_J ………… 五音節ずつ日本語を横に読む（日本語のあとにポーズがあり、その間に中国語の発音をします。その後に中国語が読まれます。以下、同様）

172_v_J ………… 五音節ずつ日本語を縦に読む

173_J_shuffle … 順番を完全にシャフルして日本語を読む

1 ここではできるだけ音声に集中して四声のトレーニングをします。音のイメージをしっかりつかんでください。

Track 165 / 166 / 167 / 168

	可能補語		
第1声	chī bu wán de fàn	jiā bān huí bu lái	Yīng wén dú bu dǒng
第2声	dú bu wán de shū	zháo jí dǎ bu kāi	chá bēi gòu bu zháo
第3声	zǒu bu wán de lù	zǎo shang qǐ bu lái	tuǐ téng pǎo bu dòng
第4声	zuò bu wán de shì	xià yǔ chū bu qù	zuò yè jì bu zhù

ミニコラム 23 可能補語

実現可能を表す補語を「可能補語」と言います。結果補語や方向補語の形を利用して作ります。“得”を挿入すると、肯定形で「～できる」、“不”を挿入すると、否定形で「～できない」という意味になります。

(1) 動詞＋ “得” ／ “不” ＋結果補語⇒可能補語
听懂⇒［肯定］听得懂（聞いて理解できる）
［否定］听不懂（聞いて理解できない）

(2) 動詞＋ “得” ＋ “不” ＋方向補語⇒可能補語
［肯定］出得去（出られる）
出去⇒［否定］出不去（出られない）

② 文字の意味を理解した後、テキストを見て、音声を聞きながら声を出すパラレルリーディングを中心に練習しましょう。

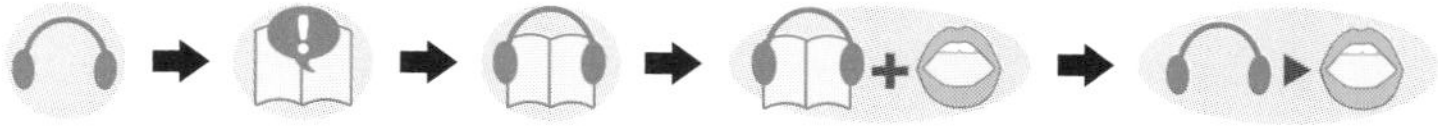

Track 165 / 166 / 167 / 168

	可能補語		
第1声	chī bu wán de fàn 吃不完的饭 食べきれないご飯	jiā bān huí bu lái 加班回不来 残業で帰れない	Yīng wén dú bu dǒng 英文读不懂 英文が読めない
第2声	dú bu wán de shū 读不完的书 読みきれない本	zháo jí dǎ bu kāi 着急打不开 焦っていて開けられない	chá bēi gòu bu zháo 茶杯够不着 茶碗に（手が）届かない
第3声	zǒu bu wán de lù 走不完的路 回りきれない道	zǎo shang qǐ bu lái 早上起不来 朝起きられない	tuǐ téng pǎo bu dòng 腿疼跑不动 足が痛くて走れない
第4声	zuò bu wán de shì 做不完的事 終わらない用事	xià yǔ chū bu qù 下雨出不去 雨で出かけられない	zuò yè jì bu zhù 作业记不住 宿題が覚えられない

3 漢字を見て、四声に注意して音読をしてみてください。そのあとでモデル音声で確認をして練習しましょう。

Track 165 / 166 / 167 / 168

可能補語			
第1声	ˉ · ˊ · ˋ 吃不完的饭	ˉ ˉ ˊ · ˊ 加班回不来	ˉ ˊ ˊ · ˇ 英文读不懂
第2声	ˊ · ˊ · ˉ 读不完的书	ˊ ˊ ˇ · ˉ 着急打不开	ˊ ˉ ˋ · ˊ 茶杯够不着
第3声	ˇ · ˊ · ˋ 走不完的路	ˇ · ˇ · ˊ 早上起不来	ˇ ˊ ˇ · ˋ 腿疼跑不动
第4声	ˋ · ˊ · ˋ 做不完的事	ˋ ˇ ˉ · ˋ 下雨出不去	ˋ ˋ ˋ · ˋ 作业记不住

ミニコラム 24 外来語

多くの外国人が外来語を苦手だと言っています。「ナイター」のような和製英語に限らず、カタカナで書かれた時点で、認識が大変だそうです。

大昔、まだファストフードに馴染みがなかった僕は、マックでメニューを読み間違えて「フライド・トマト」と言ってしまったこともありました。大好きなケーキ店でも呪文のようなカタカナ名が読めず、新しいケーキをいろいろ試したいのに、いつものチーズケーキを注文してしまう自分がいます。

明治時代、日本人は欧米から新しい抽象的な概念を導入するに当たり、漢文の素養を生かして「政治」「経済」「哲学」などの日本語を作りました。当時の方々が現在も健在だったら、あの呪文のようなメニューをおいしそうな漢字に翻訳してくれたにちがいありません。

4 漢字を見てどのくらい読めるか音読してみましょう。モデル音声で確認をして、弱点を集中的に練習しましょう。

Track 166 / 168 / 169 / 170

	可能補語		
第1声	吃不完的饭	加班回不来	英文读不懂
第2声	读不完的书	着急打不开	茶杯够不着
第3声	走不完的路	早上起不来	腿疼跑不动
第4声	做不完的事	下雨出不去	作业记不住

＊横シャフル、縦シャフルの順番は*p*.225を参照。

5 このユニットの力試しです。日本語の後にポーズがあるので、該当する中国語を声に出して言ってみましょう。その後に正しい中国語の発音が読まれます。後について声に出しながら確認しましょう。Track 173 は全部の語句をシャフルします。

Track 171 / 172 / 173

	可能補語		
第1声	食べきれないご飯	残業で帰れない	英文が読めない
第2声	読みきれない本	焦っていて 開けられない	茶碗に （手が）届かない
第3声	回りきれない道	朝起きられない	足が痛くて走れない
第4声	終わらない用事	雨で出かけられない	宿題が覚えられない

＊日本語シャフルの順番は *p*.227 を参照。

Unit 2

“了”「二重目的語」「兼語文」のある五音節

（このユニットの目標）

- ・“了”……前にくる音節の四声に影響される軽声の“了”の変化に注意して発音する。
- ・「二重目的語」……1 個目の目的語と 2 個目の目的語の「間」に注意して言う。
- ・「兼語文」……兼語の後の「間」に注意して言う。

▼このユニットで使う音声素材

174_h_slow ……… 五音節ずつ横にゆっくり読む

175_h_normal …… 五音節ずつ横に普通の速さで読む

176_v_slow ……… 五音節ずつ縦にゆっくり読む

177_v_normal …… 五音節ずつ縦に普通の速さで読む

178_h_shuffle …… 五音節ずつ横に順番をシャフルして読む

179_v_shuffle …… 五音節ずつ縦に順番をシャフルして読む

180_h_J ………… 五音節ずつ日本語を横に読む（日本語のあとにポーズがあり、その間に中国語の発音をします。その後に中国語が読まれます。以下、同様）

181_v_J ………… 五音節ずつ日本語を縦に読む

182_J_shuffle … 順番を完全にシャフルして日本語を読む

① ここではできるだけ音声に集中して四声のトレーニングをします。音のイメージをしっかりつかんでください。

Track 174 / 175 / 176 / 177

	了	二重目的語	兼語文
第1声	tiān qì nuǎn huo le	jiāo tā xué Hàn yǔ	tā ràng wǒ kān jiā
第2声	bú qù sòng bào le	huán tóng xué cí diǎn	liú tā chī dùn fàn
第3声	zhǎo dào gōng zuò le	qǐng lǎo shī jiǎng kè	qǐng tā hē kā fēi
第4声	kàn dào xīn wén le	jiè tā sān bǎi yuán	ràng tā mǎi hé fàn

② 文字の意味を理解した後、テキストを見て、音声を聞きながら声を出すパラレルリーディングを中心に練習しましょう。

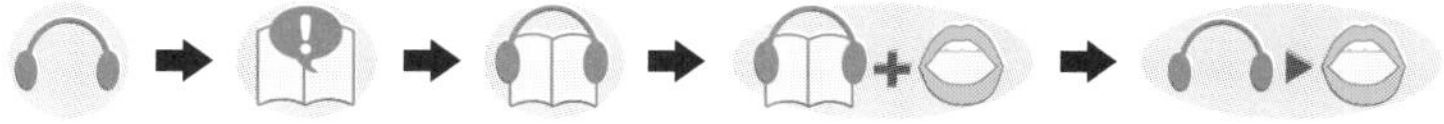

Track 174 / 175 / 176 / 177

	了	二重目的語	兼語文
第1声	tiān qì nuǎn huo le 天气暖和了 天気が暖かくなった	jiāo tā xué Hàn yǔ 教他学汉语 彼に中国語を教える	tā ràng wǒ kān jiā 他让我看家 彼に留守番をさせられる
第2声	bú qù sòng bào le 不去送报了 新聞の配達を辞めた	huán tóng xué cí diǎn 还同学词典 同級生に辞書を返す	liú tā chī dùn fàn 留他吃顿饭 彼をひきとめてご飯を食べさせる（ごちそうする）
第3声	zhǎo dào gōng zuò le 找到工作了 仕事を見つけた	qǐng lǎo shī jiǎng kè 请老师讲课 先生に講義をしてもらう	qǐng tā hē kā fēi 请他喝咖啡 彼にコーヒーをおごる
第4声	kàn dào xīn wén le 看到新闻了 ニュースを見かけた	jiè tā sān bǎi yuán 借他三百元 彼に 300 元を貸す	ràng tā mǎi hé fàn 让他买盒饭 彼に弁当を買わせる

③ 漢字を見て、四声に注意して音読をしてみてください。そのあとでモデル音声で確認をして練習しましょう。

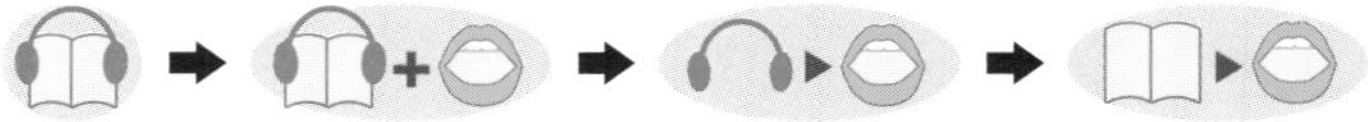

Track 174 / 175 / 176 / 177

	了	二重目的語	兼語文
第1声	天气暖和了	教他学汉语	他让我看家
第2声	不去送报了	还同学词典	留他吃顿饭
第3声	找到工作了	请老师讲课	请他喝咖啡
第4声	看到新闻了	借他三百元	让他买盒饭

ミニコラム 25 "走马观花"（馬を走らせて花見する）

数年前のこと、私は故郷・天津に帰り、父と久しぶりに散歩に出かけました。しばらく行くと、後ろから父の申し訳なさそうな「ゆっくり歩いて」という声が聞こえて立ち止まりました。小さいとき、私はあちこち走り回っては、父によく「ゆっくり」と言われたものです。これまで僕の歩調に合わせてくれていたお父さん。今度は私が父を待つ番です。

歩きながら、ゆっくり歩くことの意味を考えました。スピードにはもちろん価値があるでしょう。しかし､各々の歩みの速さに合わせて､外国語の学習学ぶ過程を楽しみ､異なる文化世界を逍遥するのもよいものです。焦らず継続することが大切、生涯学習を専攻した私は、スピードを求められる日々の中で、「ゆっくり」という父の声を今日も思い出しています。

—ただ速さ 求むだけなら 哀れかな ゆっくり学ぶ 道を歩まむ—

4 漢字を見てどのくらい読めるか音読してみましょう。モデル音声で確認をして、弱点を集中的に練習しましょう。

Track 175 / 177 / 178 / 179

	了	二重目的語	兼語文
第1声	天气暖和了	教他学汉语	他让我看家
第2声	不去送报了	还同学词典	留他吃顿饭
第3声	找到工作了	请老师讲课	请他喝咖啡
第4声	看到新闻了	借他三百元	让他买盒饭

＊横シャフル、縦シャフルの順番は p.225 を参照。

5　このユニットの力試しです。日本語の後にポーズがあるので、該当する中国語を声に出して言ってみましょう。その後に正しい中国語の発音が読まれます。後について声に出しながら確認しましょう。Track 182 は全部の語句をシャフルします。

Track 180 / 181 / 182

	了	二重目的語	兼語
第1声	天気が暖かくなった	彼に中国語を教える	彼に留守番をさせられる
第2声	新聞の配達を辞めた	同級生に辞書を返す	彼をひきとめてご飯を食べさせる
第3声	仕事を見つけた	先生に講義をしてもらう	彼にコーヒーをおごる
第4声	ニュースを見かけた	彼に 300 元を貸す	彼に弁当を買わせる

＊日本語シャフルの順番は *p.*227 を参照。

Unit 3

連動文

このユニットの目標

「主語＋動詞＋場所＋動詞＋目的語」の構文だが、２番目の動詞の前の「間」に注意して言う。

＊「連動文」の説明は、*p*.80 を参照。

▼このユニットで使う音声素材

183_h_normal…… 五音節→七音節→五音節の順番に横に普通の速さで読む

184_h_pause …… 五音節→七音節→五音節の順番に、復唱できるポーズを入れながら、横に普通の速さで読む

185_normal_J…… 五音節→七音節→五音節の順番に、日本語を横に読む（日本語のあとにポーズがあり、その間に中国語の発音をします。その後に中国語が読まれます。以下、同様）

1 ここではできるだけ音声に集中して四声のトレーニングをします。音のイメージをしっかりつかんでください。

Track 183/184

❶

tā qù shàng bān shí	cháng cháng zǎo dào zuò wèi shēng	rán hòu chī zǎo fàn

❷

míng tiān yào kāi huì	bù néng huí jiā chī wǎn fàn	bú yào děng wǒ le

❸

Xiǎo lín gào su wǒ	zhōu èr yào qù xué Hàn yǔ	tè bié yǒu yì si

❹

yòu yǒu hǎo xiāo xi	míng chú yào lái jiāo zuò cài	yí dìng hěn hǎo chī

② 文字の意味を理解した後、テキストを見て、音声を聞きながら声を出すパラレルリーディングを中心に練習しましょう。

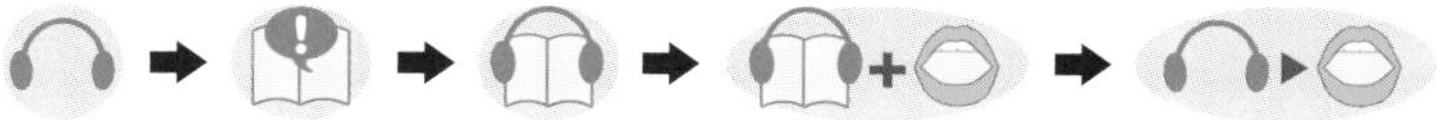

Track 183/184

❶

tā qù shàng bān shí	cháng cháng zǎo dào zuò wèi shēng	rán hòu chī zǎo fàn
他去上班时	常常早到做卫生	然后吃早饭
彼は出勤時	早めに着くようにして掃除をし	それから朝ご飯を食べる

❷

míng tiān yào kāi huì	bù néng huí jiā chī wǎn fàn	bú yào děng wǒ le
明天要开会	不能回家吃晚饭	不要等我了
明日会議がある	家に帰って食事できない	私を待たなくてもいい

❸

Xiǎo lín gào su wǒ	zhōu èr yào qù xué Hàn yǔ	tè bié yǒu yì si
小林告诉我	周二要去学汉语	特别有意思
小林は私に言った	火曜日に中国語を学びにいく	本当に面白い

❹

yòu yǒu hǎo xiāo xi	míng chú yào lái jiāo zuò cài	yí dìng hěn hǎo chī
又有好消息	名厨要来教做菜	一定很好吃
またいい知らせ	名コックが料理を教えに来る	きっと美味しい

③ 漢字を見て、四声に注意して音読をしてみてください。そのあとでモデル音声で確認をして練習しましょう。

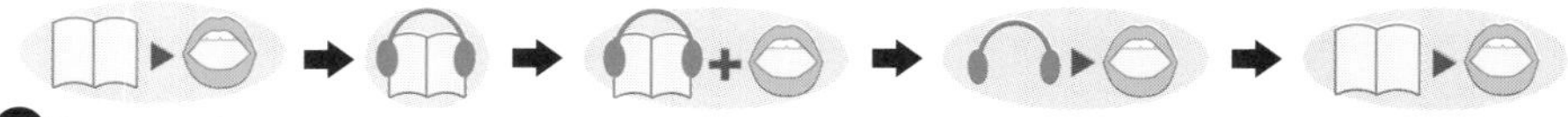

Track 183/184

❶

ˉ ˋ ˋ ˉ ˊ	ˊ ˊ ˇ ˋ ˋ ˋ ˉ	ˊ ˋ ˉ ˇ ˋ
他去上班时	常常早到做卫生	然后吃早饭

❷

ˊ ˉ ˋ ˉ ˋ	ˋ ˊ ˊ ˉ ˉ ˇ ˋ	ˊ ˋ ˊ ˇ ・
明天要开会	不能回家吃晚饭	不要等我了

❸

ˇ ˊ ˋ ・ ˇ	ˉ ˋ ˋ ˋ ˊ ˋ ˇ	ˋ ˊ ˇ ˋ ・
小林告诉我	周二要去学汉语	特别有意思

❹

ˋ ˊ ˇ ˉ ・	ˊ ˊ ˋ ˊ ˉ ˋ ˋ	ˊ ˋ ˊ ˇ ˉ
又有好消息	名厨要来教做菜	一定很好吃

④ 漢字を見てどのくらい読めるか音読してみましょう。モデル音声で確認をして、弱点を集中的に練習しましょう。

Track 183/184

❶

他去上班时　常常早到做卫生　然后吃早饭

❷

明天要开会　不能回家吃晚饭　不要等我了

❸

小林告诉我　周二要去学汉语　特别有意思

❹

又有好消息　名厨要来教做菜　一定很好吃

5 このユニットの力試しです。日本語の後にポーズがあるので、該当する中国語を声に出して言ってみましょう。その後に正しい中国語の発音が読まれます。後について声に出しながら確認しましょう。

Track 185

❶

彼は出勤時	早めに着くようにして掃除をし	それから朝ご飯を食べる

❷

明日会議がある	家に帰って食事できない	私を待たなくてもいい

❸

小林は私に言った	火曜日に中国語を学びにいく	本当に面白い

❹

またいい知らせ	名コックが料理を教えに来る	きっと美味しい

＊日本語シャフルの順番は *p*.195 を参照。

Unit 4

把構文

（このユニットの目標）

目的語を動詞の前に持っていく構文なので、「把＋目的語」と一緒に読む。そのあとの「間」にも注意して言ってみよう。

▼このユニットで使う音声素材

186_h_normal…… 五音節→七音節→五音節の順番に横に普通の速さで読む

187_h_normal…… 五音節→七音節→五音節の順番に、復唱できるポーズを入れながら、横に普通の速さで読む

188_h_normal…… 五音節→七音節→五音節の順番に、日本語を横に読む（日本語のあとにポーズがあり、その間に中国語の発音をします。その後に中国語が読まれます。以下、同様）

1 ここではできるだけ音声に集中して四声のトレーニングをします。音のイメージをしっかりつかんでください。

Track 186 / 187

❶

tā huāng huāng zhāng zhāng　zǒu shí bǎ xié chuān cuò le　liǎng zhǐ bù yí yàng

❷

yí dìng bié jǐn zhāng　bǎ tí hǎo hāo kàn yí xià　bú yào dá cuò le

❸

wǒ méi qù guo nàr　qǐng bǎ dì zhǐ gào su wǒ　wǒ zì jǐ qù zhǎo

❹

yòu bǎ rén kàn cuò　mǎn liǎn xiào róng dǎ zhāo hu　gēn běn bú rèn shi

② 文字の意味を理解した後、テキストを見て、音声を聞きながら声を出すパラレルリーディングを中心に練習しましょう。

Track 186 / 187

❶

tā huāng huāng zhāng zhāng
他慌慌张张
彼は慌てて

zǒu shí bǎ xié chuān cuò le
走时把鞋穿错了
出かける時に　靴を履き間違って、

liǎng zhī bù yí yàng
两只不一样
左右違った

❷

yí dìng bié jǐn zhāng
一定别紧张
絶対緊張しないで

bǎ tí hǎo hāo kàn yí xià
把题好好看一下
問題をちゃんと読んでね

bú yào dá cuò le
不要答错了
間違わないように

❸

wǒ méi qù guo nàr
我没去过那儿
私は、そこに行ったことがない

qǐng bǎ dì zhǐ gào su wǒ
请把地址告诉我
住所を教えてください

wǒ zìjǐ qù zhǎo
我自己去找
自分で探す。

❹

yòu bǎ rén kàn cuò
又把人看错
また人を見間違え、

mǎn liǎn xiào róng dǎ zhāo hū
满脸笑容打招呼
ニコニコ挨拶したら

gēn běn bú rèn shi
根本不认识
赤の他人

③ 漢字を見て、四声に注意して音読をしてみてください。そのあとでモデル音声で確認をして練習しましょう。

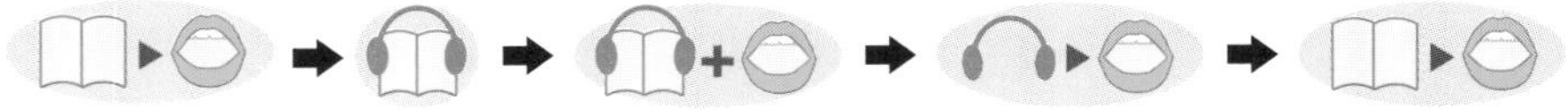

Track 186 / 187

❶

ˉ ˉ ˉ ˉ ˉ	ˇ ˊ ˇ ˊ ˉ ˋ ·	ˇ ˉ ˋ ˊ ˋ
他慌慌张张	走时把鞋穿错了	两只不一样

❷

ˊ ˋ ˊ ˇ ˉ	ˇ ˊ ˇ ˉ ˋ ˊ ˋ	ˊ ˋ ˊ ˋ ·
一定别紧张	把题好好看一下	不要答错了

❸

ˇ ˊ ˋ · ˋ	ˊ ˇ ˋ ˇ ˋ · ˇ	ˇ ˋ ˇ ˋ ˇ
我没去过那儿	请把地址告诉我	我自己去找

❹

ˋ ˇ ˊ ˋ ˋ	ˊ ˇ ˋ ˊ ˇ ˉ ·	ˉ ˇ ˊ ˋ ·
又把人看错	满脸笑容打招呼	根本不认识

④ 漢字を見てどのくらい読めるか音読してみましょう。モデル音声で確認をして、弱点を集中的に練習しましょう。

Track 186 / 187

❶

他慌慌张张　走时把鞋穿错了　两只不一样

❷

一定别紧张　把题好好看一下　不要答错了

❸

我没去过那儿　请把地址告诉我　我自己去找

❹

又把人看错　满脸笑容打招呼　根本不认识

ミニコラム 26 “把”構文

介詞“把”によって目的語を動詞の前に出します。その目的語についてどうしたのか、どんな結果になったのかを表す構文を「“把”構文」と言います。

主語＋“把”＋目的語＋動詞＋その他の成分

她　把　这本书　看　完了　（彼女はこの本を読み終えた）

その他の成分のところには以下のようなものがあります。

結果補語、方向補語、様態補語、動量詞、ふたつの目的語を持つ動詞）の目的語、動詞の重ね型

助動詞や否定副詞“不”“没”などは普通“把”の前に置きます。

5 このユニットの力試しです。日本語の後にポーズがあるので、該当する中国語を声に出して言ってみましょう。その後に正しい中国語の発音が読まれます。後について声に出しながら確認しましょう。

J ➡ C ➡

Track 188

❶

彼は慌てて	出かける時に 靴を履き間違って、	左右違った

❷

絶対緊張しないで	問題をちゃんと読んでね	間違わないように

❸

私は、そこに 行ったことがない	住所を教えてください	自分で探す

❹

また人を見間違え、	ニコニコ挨拶したら	赤の他人

Unit 5

受身文

（このユニットの目標）

受身文の印である「被」と動作主を一緒に読む。動作主が省略された場合には、「被」と後の動詞を一緒に読むようにする。

▼このユニットで使う音声素材

189_h_normal…… 五音節→七音節→五音節の順番に横に普通の速さで読む

190_h_normal…… 五音節→七音節→五音節の順番に、復唱できるポーズを入れながら、横に普通の速さで読む

191_h_normal…… 五音節→七音節→五音節の順番に、日本語を横に読む（日本語のあとにポーズがあり、その間に中国語の発音をします。その後に中国語が読まれます。以下、同様）

① ここではできるだけ音声に集中して四声のトレーニングをします。音のイメージをしっかりつかんでください。

● Track 189 / 190

❶

jīn tiān zhēn dǎo méi	chē bèi dì di qí zǒu le	zhǐ hǎo zǒu zhe qù

❷

méi yǒu dài yǔ sǎn	yī fu bèi yǔ lín shī le	xiàng ge luò tāng jī

❸

xiǎo shí hěn táo qì	cháng cháng bèi lǎo shī pī píng	fù mǔ hěn tóu tòng

❹

duì rén yào kuān róng	nǐ yě kě néng bèi wùj iě	yīn wén huà bù tóng

② 文字の意味を理解した後、テキストを見て、音声を聞きながら声を出すパラレルリーディングを中心に練習しましょう。

Track 189 / 190

❶

jīn tiān zhēn dǎo méi	chē bèi dì di qí zǒu le	zhǐ hǎo zǒu zhe qù
今天真倒霉	车被弟弟骑走了	只好走着去
今日は、ついていない	自転車は弟に乗って行かれた	しかたなく歩いて行った

❷

méi yǒu dài yǔ sǎn	yī fu bèi yǔ lín shī le	xiàng ge luò tāng jī
没有带雨伞	衣服被雨淋湿了	像个落汤鸡
傘を持っていない	服は雨に濡れてしまって	ずぶ濡れだった

❸

xiǎo shí hěn táo qì	cháng cháng bèi lǎo shī pī píng	fù mǔ hěn tóu tòng
小时很淘气	常常被老师批评	父母很头痛
小さい時わんぱくだった	よく先生に叱られた	両親は頭が痛い

❹

duì rén yào kuān róng	nǐ yě kě néng bèi wùj iě	yīn wén huà bù tóng
对人要宽容	你也可能被误解	因文化不同
人には寛容であるべきだ	あなたも誤解されそう	文化が違うから

③ 漢字を見て、四声に注意して音読をしてみてください。そのあとでモデル音声で確認をして練習しましょう。

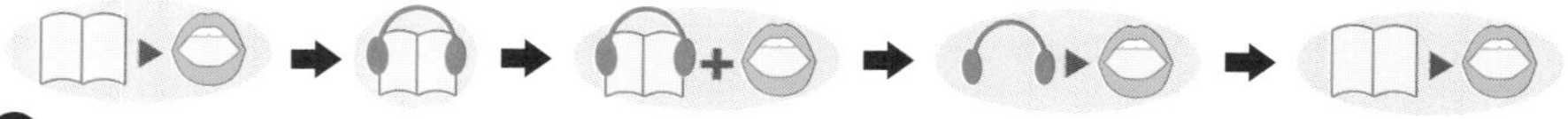

Track 189 / 190

❶

ˉ ˉ ˉ ˇ ˊ	ˉ ˋ ˋ · ˊ ˇ ·	ˊ ˇ ˇ · ˋ
今天真倒霉	车被弟弟骑走了	只好走着去

❷

ˊ ˇ ˋ ˊ ˇ	ˉ · ˋ ˋ ˊ ˉ ·	ˋ · ˋ ˉ ˉ
没有带雨伞	衣服被雨淋湿了	像个落汤鸡

❸

ˇ ˊ ˇ ˊ ˋ	ˊ ˊ ˋ ˇ ˉ ˉ ˊ	ˋ ˇ ˇ ˊ ˋ
小时很淘气	常常被老师批评	父母很头痛

❹

ˋ ˊ ˋ ˉ ˊ	ˊ ˊ ˇ ˊ ˋ ˋ ˇ	ˉ ˊ ˋ ˋ ˊ
对人要宽容	你也可能被误解	因文化不同

④ 漢字を見てどのくらい読めるか音読してみましょう。モデル音声で確認をして、弱点を集中的に練習しましょう。

Track 189 / 190

❶

今天真倒霉　车被弟弟骑走了　只好走着去

❷

没有带雨伞　衣服被雨淋湿了　像个落汤鸡

❸

小时很淘气　常常被老师批评　父母很头痛

❹

对人要宽容　你也可能被误解　因文化不同

ミニコラム 27　受身文

中国語の受身文は、被害を受けたり迷惑だと感じる出来事に用いられることが多いですが、望ましい出来事に用いる場合もあります。受身文は、既に実現した出来事について、どのような影響を受け手が被り、どのような変化が起こったかを、動詞とその他の成分で述べます。

A ＋ “被” ＋ B ＋動詞＋その他の成分	「A は B に～された」
车　被　弟弟　骑　走了	（自転車は弟に乗って行かれた）

“被” がよく使われていますので、「“被” 構文」とも言われています。“被” の他に “叫” “让” も使います。

5 このユニットの力試しです。日本語の後にポーズがあるので、該当する中国語を声に出して言ってみましょう。その後に正しい中国語の発音が読まれます。後について声に出しながら確認しましょう。

Track 191

1

今日は、ついていない	自転車は弟に乗って行かれた	しかたなく歩いて行った

2

傘を持っていない	服は雨に濡れてしまって	ずぶ濡れだった

3

小さい時わんぱくだった	よく先生に叱られた	両親は頭が痛い

4

人には寛容であるべきだ	あなたも誤解されそう	文化が違うから

Unit 6

日常会話の五音節慣用表現①

（このユニットの目標）

・情景を思い浮かべながら、自然に話すように発話する。

▼このユニットで使う音声素材

192_h_slow……… 五音節ずつ横にゆっくり読む

193_h_normal…… 五音節ずつ横に普通の速さで読む

194_v_slow……… 五音節ずつ縦にゆっくり読む

195_v_normal…… 五音節ずつ縦に普通の速さで読む

196_h_shuffle…… 五音節ずつ横に順番をシャフルして読む

197_v_shuffle…… 五音節ずつ縦に順番をシャフルして読む

198_h_J ………… 五音節ずつ日本語を横に読む（日本語のあとにポーズがあり、その間に中国語の発音をします。その後に中国語が読まれます。以下、同様）

199_v_J ………… 五音節ずつ日本語を縦に読む

200_J_shuffle … 順番を完全にシャフルして日本語を読む

① ここではできるだけ音声に集中して四声のトレーニングをします。音のイメージをしっかりつかんでください。

Track 192 / 193 / 194 / 195

	日常挨拶	旅行用語	料理注文
第1声	jīn tiān tiān qì hǎo	xī wàng néng zài jiàn	hē yì bēi zěn yàng
第2声	xué xí jǐn zhāng ma	mén piào duō shao qián	lái yí fèn mǐ fàn
第3声	nǐ chī fàn le ma	qǐng wèn zhè shì nǎr	qǐng gěi wǒ zhè ge
第4声	zuì jìn zěn me yàng	qù nàr zěn me zǒu	zhè ge hěn là ma

② 文字の意味を理解した後、テキストを見て、音声を聞きながら声を出すパラレルリーディングを中心に練習しましょう。

Track 192 / 193 / 194 / 195

	日常挨拶	旅行用語	料理注文
第1声	jīn tiān tiān qì hǎo 今天天气好 今日は天気がいいですね	xī wàng néng zài jiàn 希望能再见 また会おうね	hē yì bēi zěn yàng 喝一杯怎样 一杯飲んではどうですか
第2声	xué xí jǐn zhāng ma 学习紧张吗 勉強は忙しいですか	mén piào duō shao qián 门票多少钱 チケットはおいくらですか	lái yí fèn mǐ fàn 来一份米饭 ライスをください
第3声	nǐ chī fàn le ma 你吃饭了吗 ご飯を食べましたか	qǐng wèn zhè shì nǎr 请问这是哪儿 ここはどの辺りですか	qǐng gěi wǒ zhè ge 请给我这个 これをください
第4声	zuì jìn zěn me yàng 最近怎么样 最近いかがですか	qù nàr zěn me zǒu 去那儿怎么走 そこへはどう行けばいいですか	zhè ge hěn là ma 这个很辣吗 これはからいですか

③ 漢字を見て、四声に注意して音読をしてみてください。そのあとでモデル音声で確認をして練習しましょう。

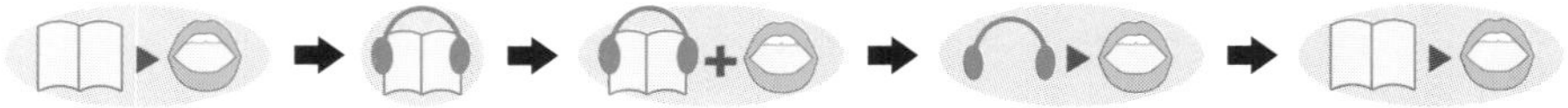

Track 192 / 193 / 194 / 195

	日常挨拶	旅行用語	料理注文
第1声	ˉ ˉ ˉ ˋ ˇ 今天天气好	ˉ ˋ ˊ ˋ ˋ 希望能再见	ˉ ˋ ˉ ˇ ˋ 喝一杯怎样
第2声	ˊ ˊ ˇ ˉ · 学习紧张吗	ˊ ˋ ˉ · ˊ 门票多少钱	ˊ ˊ ˋ ˇ ˋ 来一份米饭
第3声	ˇ ˉ ˋ · · 你吃饭了吗	ˇ ˋ ˋ ˋ ˇ 请问这是哪儿	ˊ ˊ ˇ ˋ · 请给我这个
第4声	ˋ ˋ ˇ · ˋ 最近怎么样	ˋ ˋ ˇ · ˇ 去那儿怎么走	ˋ · ˇ ˋ · 这个很辣吗

ミニコラム 28 富士山と泰山

日本には登山の愛好家が大変多く、クラスでも名山の名を記した暖簾や、山で撮影された写真をよく見せていただく機会があります。山と言えば、日本では「富士山」、中国では「泰山」となるでしょう。

泰山は「天下第一の山」と言われ、雄大な景色と悠久の歴史で知られており、古くから詩や絵画の題材として親しまれてきました。孔子も"登泰山而小天下"（泰山に登れば、天下は小さく見える）という名言を残しています。泰山は、1987年に世界自然文化遺産に登録され、また2007年には、泰山は富士山と「友好山」になり、富士山も2013年に 世界文化遺産に登録されました。

— あしひきの 遠くて近き 兄弟の 富士と泰山 千歳万歳—

4 漢字を見てどのくらい読めるか音読してみましょう。モデル音声で確認をして、弱点を集中的に練習しましょう。

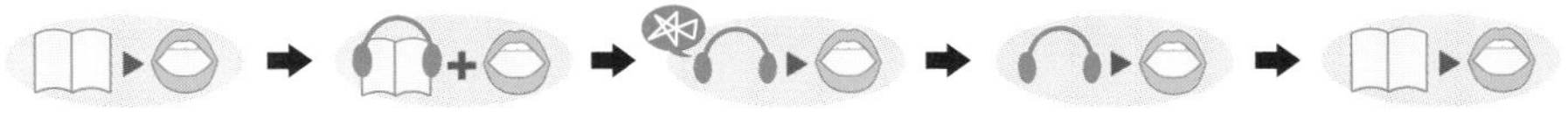

Track 193 / 195 / 196 / 197

	日常挨拶	旅行用語	料理注文
第1声	今天天气好	希望能再见	喝一杯怎样
第2声	学习紧张吗	门票多少钱	来一份米饭
第3声	你吃饭了吗	请问这是哪儿	请给我这个
第4声	最近怎么样	去那儿怎么走	这个很辣吗

＊横シャフル、縦シャフルの順番は *p*.226 を参照。

5 このユニットの力試しです。日本語の後にポーズがあるので、該当する中国語を声に出して言ってみましょう。その後に正しい中国語の発音が読まれます。後について声に出しながら確認しましょう。Track 200 は全部の語句をシャフルします。

Track 198 / 199 / 200

	日常挨拶	旅行用語	料理注文
第1声	今日は天気がいいですね	また会おうね	一杯飲んではどうですか
第2声	勉強は忙しいですか	チケットはおいくらですか	ライスをください
第3声	ご飯を食べましたか	ここはどの辺りですか	これをください
第4声	最近いかがですか	そこへはどう行けばいいですか	これはからいですか

＊日本語シャフルの順番は p.227 を参照。

Unit 7

日常会話の五音節慣用表現②

（ このユニットの目標 ）

該当する表現を使う状況や立場・役割を意識しながら、自然に話す。

▼このユニットで使う音声素材

201_h_slow ……… 五音節ずつ横にゆっくり読む

202_h_normal …… 五音節ずつ横に普通の速さで読む

203_v_slow ……… 五音節ずつ縦にゆっくり読む

204_v_normal …… 五音節ずつ縦に普通の速さで読む

205_h_shuffle …… 五音節ずつ横に順番をシャフルして読む

206_v_shuffle …… 五音節ずつ縦に順番をシャフルして読む

207_h_J ………… 五音節ずつ日本語を横に読む（日本語のあとにポーズがあり、その間に中国語の発音をします。その後に中国語が読まれます。以下、同様）

208_v_J ………… 五音節ずつ日本語を縦に読む

209_J_shuffle … 順番を完全にシャフルして日本語を読む

① ここではできるだけ音声に集中して四声のトレーニングをします。音のイメージをしっかりつかんでください。

Track 201 / 202 / 203 / 204

	買物用語	ビジネス用語	ビジネス用語
第1声	jiāo kuǎn chù zài nǎr	tā zài jiē diàn huà	jīng lǐ zài kāi huì
第2声	néng pián yi diǎnr ma	nín hái mǎn yì ma	nín qǐng děng yí xià
第3声	qǐng nín bāo yí xià	wǒ bāng nín zhuǎn jiē	wǒ zài xiě bào gào
第4声	zhè ge duō shao qián	zhè shì bào shuì dān	xiè xie nín guān zhào

② 文字の意味を理解した後、テキストを見て、音声を聞きながら声を出すパラレルリーディングを中心に練習しましょう。

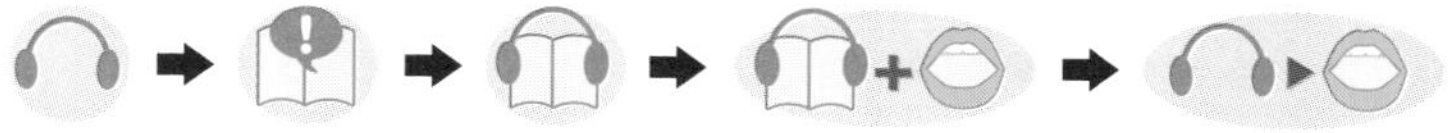

Track 201 / 202 / 203 / 204

	買物用語	ビジネス用語	ビジネス用語
第1声	jiāo kuǎn chù zài nǎr 交款处在哪儿 レジカウンターはどこですか	tā zài jiē diàn huà 他在接电话 彼は今電話に出ております	jīng lǐ zài kāi huì 经理在开会 マネージャーは今会議中です
第2声	néng pián yi diǎnr ma 能便宜点儿吗 少し安くできますか	nín hái mǎn yì ma 您还满意吗 気に入られましたか	nín qǐng děng yí xià 您请等一下 少々お待ちください
第3声	qǐng nín bāo yí xià 请您包一下 包んでもらえますか	wǒ bāng nín zhuǎn jiē 我帮您转接 おつなぎします	wǒ zài xiě bào gào 我在写报告 今レポートを書いております
第4声	zhè ge duō shao qián 这个多少钱 これはおいくらですか	zhè shì bào shuì dān 这是报税单 これは関税申告の明細表です	xiè xie nín guān zhào 谢谢您关照 お気遣いいただきありがとうございます

③ 漢字を見て、四声に注意して音読をしてみてください。そのあとでモデル音声で確認をして練習しましょう。

Track 201 / 202 / 203 / 204

	買物用語	ビジネス用語	ビジネス用語
第1声	交款处在哪儿	他在接电话	经理在开会
第2声	能便宜点儿吗	您还满意吗	您请等一下
第3声	请您包一下	我帮您转接	我在写报告
第4声	这个多少钱	这是报税单	谢谢您关照

ミニコラム 29 語学と山登り

語学は、よく山登りに例えられますが、その理由も「素晴らしい風景を眺め たい」、「自分の限界にチャレンジしたい」、「登頂した時の快感を味わいたい」など山登りが好きな理由と似ています。また、「そこに山があるから」という名言のように「そ こに言葉がある」という理由も成り立つでしょう。

登山口から山頂の雄大な景色に至るまで、私も皆さんと共に重荷を背負い、共に地図を眺め、時には渓流で休憩をとりながら山頂を目指したいと思います。絶景の眺めを得るまでには、幾多の道を辿らねばならず、ご苦労もあるかもしれません。ですが、山登りの友として共に山頂に立つことを夢見ながら、“风雨阴晴”“喜怒哀乐”を楽しんでまいりましょう。

④ 漢字を見てどのくらい読めるか音読してみましょう。モデル音声で確認をして、弱点を集中的に練習しましょう。

Track 202 / 204 / 205 / 206

	買物用語	ビジネス用語	ビジネス用語
第1声	交款处在哪儿	他在接电话	经理在开会
第2声	能便宜点儿吗	您还满意吗	您请等一下
第3声	请您包一下	我帮您转接	我在写报告
第4声	这个多少钱	这是报税单	谢谢您关照

*横シャフル、縦シャフルの順番は p.226 を参照。

5　このユニットの力試しです。日本語の後にポーズがあるので、該当する中国語を声に出して言ってみましょう。その後に正しい中国語の発音が読まれます。後について声に出しながら確認しましょう。Track 209 は全部の語句をシャフルします。

Track 207 / 208 / 209

	買物用語	ビジネス用語	ビジネス用語
第1声	レジカウンターはどこですか	彼は今電話に出ております	マネージャーは今会議中です
第2声	少し安くできますか	気に入られましたか	少々お待ちください
第3声	包んでもらえますか	おつなぎします	今レポートを書いております
第4声	これはおいくらですか	これは関税申告の明細表です	お気遣いいただきありがとうございます

＊日本語シャフルの順番は p.227 を参照。

Unit 8

五文字ことわざ

このユニットの目標

文の中で、ことわざがひとつのまとまりとして聞こえるように、意識して発話する。

▼このユニットで使う音声素材

210_v_normal…… 五音節ずつ横に普通の速さで読む
211_v_pause …… 復唱できるポーズを入れながら、横に普通の速さで読む
212_v_normal…… 五音節ずつ横に普通の速さで読む
213_v_pause …… 復唱できるポーズを入れながら、横に普通の速さで読む
214_v_normal…… 五音節ずつ横に普通の速さで読む
215_v_pause …… 復唱できるポーズを入れながら、横に普通の速さで読む
216_v_normal…… 五音節ずつ横に普通の速さで読む
217_v_pause …… 復唱できるポーズを入れながら、横に普通の速さで読む
218_v_normal…… 五音節ずつ横に普通の速さで読む
219_v_pause …… 復唱できるポーズを入れながら、横に普通の速さで読む

① 第 1 声から始まることわざです。Track 210 で音声を聞き、211 にはポーズがあるので、後について復唱しましょう。

Track 210 / 211

❶

chī kuī yě shì fú

吃亏也是福 損するのも幸せである

Chī diǎnr kuī yě bú shì huàishì, chīkuī yě shì fú.

吃点儿亏也不是坏事，吃亏也是福。

少し損をしても悪くないかもしれません、損をしても時には幸せになります。

❷

jiāng shì lǎo de là

姜是老的辣 亀の甲より年の功

Shīfu yì lái wèntí jiù jiějué le, dàodǐ jiāng shì lǎo de là a.

师傅一来问题就解决了，到底姜是老的辣啊。

師匠が来たらすぐ問題は解決しました、さすがは「亀の甲より年の功」ですね。

❸

bā jiǔ bù lí shí

八九不离十 当たらずといえども遠からず

Zài nán de míyǔ tā dōu néng cāi ge bā jiǔ bù lí shí.

再难的谜语她都能猜个八九不离十。

いくら難しい謎でも彼女は当たらずといえども遠からずの答えが出せます。

② 第2声から始まることわざです。Track 212 で音声を聞き、213 にはポーズがあるので、後について復唱しましょう。

Track 212 / 213

---

❹

gé háng rú gé shān

隔行如隔山　業界が違えばまるで山を隔てるかのようだ

Gé háng rú gé shān, wǒ shì kuàijì, bù dǒng shèjì.

隔行如隔山，我是会计，不懂设计。

業界が違うとさっぱりです、私は会計なので設計についてはわかりません。

---

❺

háng háng chū zhuàng yuán

行行出状元　どんな職種にもその道の大家がいるものだ

Zhǐyào nǐ xǐhuan, gàn shénme dōu xíng, háng háng chū zhuàng yuán ma.

只要你喜欢，干什么都行，行行出状元嘛。

好きならば、何をやってもいいですよ、どんな職種にも大家が出るものです。

---

❻

lín shí bào fó jiǎo

临时抱佛脚　苦しいときの神頼み

Píngshí bú rènzhēn xuéxí, kǎoshì qián zhǐ néng lín shí bào fó jiǎo.

平时不认真学习，考试前只能临时抱佛脚。

普段はまじめに勉強しないので、試験の前には神頼みをするしかありません。

---

③ 第３声から始まることわざです。Track 214 で音声を聞き、215 にはポーズがあるので、後について復唱しましょう。

Track 214 / 215

---

❼ ˇ ˋ ˇ ˉ ˊ

jiǔ hòu tǔ zhēn yán

酒后吐真言　酔っぱらった後は本音を吐く

Yǐhòu hē jiǔ kě děi xiǎoxīn, jiǔ hòu tǔ zhēn yán ma.

以后喝酒可得小心，酒后吐真言嘛。

今後飲みすぎに注意してくださいね、酔っぱらった後は本音を吐きますから。

---

❽ ˇ ˋ ˊ ˊ ˉ

jiǔ bìng chéng liáng yī

久病成良医　長患いをすれば医者になれる

Jiǔ bìng chéng liáng yī, wǒ xiànzài dōu néng gěi rén kànbìng le.

久病成良医，我现在都能给人看病了。

長患いをすれば医者になれます、今の私なら他人の病気も診られますよ。

---

❾ ˊ ˇ ˋ ˉ ˊ

shuǐ huǒ bù xiāng róng

水火不相容　水と火のように相容れない

Tā liǎ zhēn shì shuǐ huǒ bù xiāng róng, yí jiànmiàn jiù chǎojià.

他俩真是水火不相容，一见面就吵架。

彼ら二人は本当に水と火のように相容れませんね、会うたびに喧嘩になっちゃいます。

④ 第４声から始まることわざです。Track 216 で音声を聞き、217 にはポーズがあるので、後について復唱しましょう。

Track 216 / 217

---

⑩ ˋ ˋ ˋ ˉ ˊ

huàn nàn jiàn zhēn qíng

患难见真情　困難な時こそ本当の友だちがわかる

Huàn nàn jiàn zhēn qíng, péngyou zǒng huì zài wǒ kùnnan de shíhou bāng wǒ.

患难见真情，**朋友总会在我困难的时候帮我。**

困難な時にこそ本当の友だちがわかります、友だちなら私が困難な時はいつも助けてくれます。

---

⑪ ˋ ˇ ˋ ˊ ˉ

rì jiǔ jiàn rén xīn

日久见人心　月日が経てば、人の心がわかる

Rì jiǔ jiàn rén xīn, yǐhòu nǐ huì zhīdào tā hǎo de .

日久见人心，**以后你会知道他好的。**

月日が経てば、人の心がわかります、後で彼の良さがわかるようになりますよ。

---

⑫ ˋ ˇ ˉ ˊ ˋ

wù yǐ xī wéi guì

物以稀为贵　物は稀少なるがゆえに価値を持つ

Wù yǐ xī wéi guì, suǒyǐ zuànshí cái nàme guì.

物以稀为贵，**所以钻石才那么贵。**

ものは珍しいほど貴重です、だからダイアモンドはそんなに高いのです。

5 “一”“不”を含むことわざの練習です。Track 218で音声を聞き、219にはポーズがあるので、後について復唱しましょう。

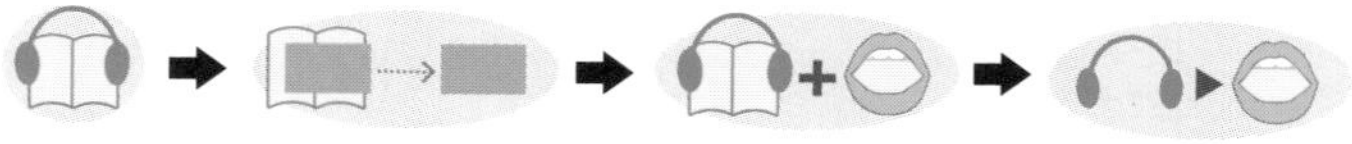

Track 218 / 219

⑬

yí wù xiáng yí wù

一物降一物 どんな物でもそれに打ち負かされる物がある

Érzi pà bàba, bàba tīng māma de, māma téng érzi, zhēn shì yí wù xiáng yí wù.

儿子怕爸爸，爸爸听妈妈的，妈妈疼儿子，真是一物降一物。

息子は父を恐れ、父は母の言うことを聞き、母は息子を可愛がります。どんな物でもそれに打ち負かされる物がありますね。

⑭

yì wǎn shuǐ duān píng

一碗水端平 碗を平らに持つように、公平に扱う

Māma duì jiědì liǎ cónglái dōu shì yì wǎn shuǐ duān píng, yìdiǎnr yě bù piānxīn.

妈妈对姐弟俩从来都是一碗水端平，一点儿也不偏心。

母さんは姉と弟に対していつも公平に扱っていて、どちらもえこひいきしません。

⑮

bù dǎ bù xiāng shí

不打不相识 喧嘩は仲よしの始まり

Wǒ hé tā chǎole yí jià, fǎn'ér chéngle hǎopéngyou, zhēn shì bù dǎ bù xiāng shí.

我和他吵了一架，反而成了好朋友，真是不打不相识。

彼と喧嘩して、かえって友だちになりました。本当に喧嘩は仲よしの始まりですね。

⑯

bú kàn bù zhī dào

不看不知道 自ら確かめないとわからない

Zhè jǐ nián biànhuà zhème dà, zhēn shì bú kàn bù zhī dào, yí kàn xià yí tiào.

这几年变化这么大，真是不看不知道，一看吓一跳。

近年はこんなに変わって、本当に自分で確かめないとわからないもので、見たらびっくりするほどです。

Unit 9

有名な漢詩

このユニットの目標

漢詩独特の抑揚に気をつけ、母音をしっかりと発音するように意識して、ゆっくりと声に出しながら読む。

▼このユニットで使う音声素材

220_v_normal……　詩を読むときの普通の速さで読む

221_slow_pause　復唱できるポーズを入れながら、ゆっくり読む

222_normal_pausel　復唱できるポーズを入れながら、普通の速さで読む

223_v_normal……　詩を読むときの普通の速さで読む

224_slow_pause　復唱できるポーズを入れながら、ゆっくり読む

225_normal_pause　復唱できるポーズを入れながら、普通の速さで読む

226_v_normal……　詩を読むときの普通の速さで読む

227_slow_pause　復唱できるポーズを入れながら、ゆっくり読む

228_normal_pause　復唱できるポーズを入れながら、普通の速さで読む

229_v_normal……　詩を読むときの普通の速さで読む

230_slow_pause　復唱できるポーズを入れながら、ゆっくり読む

231_normal_pause　復唱できるポーズを入れながら、普通の速さで読む

漢詩独特の抑揚をよく聞き、ゆったりした読み方にあわせて、母音をしっかりと発音するように意識して声に出してみましょう。

Track 220 / 221 / 222

1　春 暁

Chūn xiǎo

孟浩然

Mèng Hào rán

春眠不覚暁
chūn mián bù jué xiǎo

处处闻啼鸟
chù chù wén tí niǎo

夜来风雨声
yè lái fēng yǔ shēng

花落知多少
huā luò zhī duō shǎo

[日本語訳]

春眠暁を覚えず	春の眠りは心地よくて夜明けも知らず、
処々に啼鳥《ていちょう》を聞く	至る所に鳥のさえずりが聞こえる。
夜来風雨の声	昨晩は風と雨の音がしたが、
花落つること知る多少	花がどれだけ散ったことだろう

「春暁」(しゅんぎょう)は盛唐の詩人、孟浩然(689-740)の詩です。孟浩然は科挙に及第できずに、官職を得られないまま各地を放浪しました。しかしその境遇とは対照的に、詩才によって唐詩の全盛期を開き、多くの詩人に多大な影響を与えました。

この詩は、冒頭の「春眠暁を覚えず」がたいへん有名です。眠りから覚めた作者が、鳥のさえずりに、眠りにいた昨夜の風雨を思い起こしています。「惜春」の念と作者の優しさをよく表している名詩となっています。

Track 223 / 224 / 225

2 静夜思

Jìng yè sī

李白

Lǐ Bái

床前明月光

chuáng qián míng yuè guāng

疑是地上霜

yí shì dì shàng shuāng

举头望明月

jǔ tóu wàng míng yuè

低头思故乡

dī tóu sī gù xiāng

[日本語訳]

床前　明月の光	寝室の前に広がる月光、
疑うらくは是れ地上の霜かと	その白さはまるで地上に降りた霜のようだ。
頭を挙げて明月を望み	頭を上げては明るい月を見つめ、
頭を低《た》れて故郷を思う	頭をたれては故郷のことを思う。

「静夜思」（せいやし）は盛唐の詩人、李白（701-762）の詩です。李白は「詩仙」と呼ばれ、生涯、酒を愛し奔放に生き、酒に酔い、水中の月を捕らえようとし溺死したと言い伝えられています。

この詩は、季節は秋、月光の射しこむ部屋で月を眺めています。異郷の地であるからこそ望郷の念にかられたのかもしれません。「霜」のイメージの「白い」は「月光の美しさ」、「冷たさ」は故郷を離れている「寂しさ」を表しており、暖かい故郷求める心情は、いつまでも感動を与えてやみません。

Track 226 / 227 / 228

3　春望

Chūn wàng

杜甫

Dù Fǔ

国破山河在

guó pò shān hé zài

城春草木深

chéng chūn cǎo mù shēn

感时花溅泪

gǎn shí huā jiàn lèi

恨别鸟惊心

hèn bié niǎo jīng xīn

[日本語訳]

国破れて山河在り	国家（唐の国都当時は長安）は崩壊してしまったが、山や河は変わらず、
城春にして草木深し	城内では春が訪れ草木が青く茂っている。
時に感じては花にも涙をそそぎ	時世の悲しみを感じては花を見ても涙がこぼれおち、
別れを恨んで鳥にも心を驚かす	家族との別れをうらめしく思っては鳥の鳴き声にすら心を痛める。

「春望」(しゅんぼう)は盛唐の詩人、杜甫(712-770)の詩です。李白の「詩仙」に対して、杜甫は「詩聖」と呼ばれ、律詩の表現を大成させました。

この詩は五言律詩。前半は戦乱のために荒廃した長安の様子を、変わらない自然と対比し感慨にふけり、後半は国を憂い、妻子を思い、心労のために衰えてしまった自分自身を

烽火连三月

fēng huǒ lián sān yuè

家书抵万金

jiā shū dǐ wàn jīn

白头搔更短

bái tóu sāo gèng duǎn

浑欲不胜簪

hún yù bú shèng zān

烽火《ほうか》 三月《さんがつ》に連なり

幾月が経ってものろしは消えることはなく、

家書 万金に抵《あた》る

家族からの手紙は万金にも値する。

白頭掻《か》けば更に短く

白い頭を掻けば掻くほど髪の毛が抜け落ち、

渾《すべ》て簪《しん》に勝《た》えざらんと欲す

まったくかんざしを挿せそうにもないほどだ。

嘆いています。
“家书抵万金”「家書万金に抵る」、この言葉はよく引用されており、なかなか家には連絡しない現代人にとって、家への連絡の大切さを知っていながら、忙しさでついついおろそかにしてしまう我々への戒めとして心に留めるべきではないでしょうか。

Track 229 / 230 / 231

4　登鹳雀楼

登鹳雀楼	Dēng guàn què lóu
王之涣	Wáng Zhī huàn
白日依山尽	bái rì yī shān jìn
黄河入海流	huáng hé rù hǎi liú
欲穷千里目	yù qióng qiān lǐ mù
更上一层楼	gèng shàng yì céng lóu

[日本語訳]

白日　山に依りて尽き	輝く太陽が山に沈んでゆく、
黄河海に入りて流る	眼下の黄河は海に向かって奔流する。
千里の目を窮めんと欲し	この雄大な眺めを千里のかなたまで見極めようとして、
更に上る一層の楼	さらに一階、楼を上ろうではないか。

「鸛鵲楼に登る」（かんじゃくろうにのぼる）は盛唐の詩人、王之涣（688-742）の詩です。王之涣は詩人として名声が高く、黄河を見下ろしている鸛鵲楼に立ち、滔々と流れている大河を眺めながら詠ったこの詩は、時代を超えて現代の私たちにも大きな感動を与え、芸術の生命力の強さが感じられます。

この詩は第一句「白」と第二句「黄」の色の対比、第三句「千」と第四句「一」の数字の対比のように、すべての句が対句になっています。最後の一行は、よく人を励ます贈り言葉として使われており、“更上层楼”という成語にもなっています。

Unit 10

さまざまな五音節トレーニング

（ このユニットの目標 ）

中国語には五言絶句、七言絶句のように、五、七のリズムがある。五七五のリズムに乗って楽しもう。

▼ このユニットで使う音声素材

232_v_normal…… 関連のある５音節の語句を横に読んだ後、１～３の順番に読む
233_slow_pause ゆっくりとした速さで、復唱のためのポーズをとって読む
234_normal_pause 普通の速さで、復唱のためのポーズをとって読む
235_v_normal…… 普通の速さで上から順番に読む
236_v_normal…… 関連のある５音節の語句を横に読んだ後、１～３の順番に読む
237_slow_pause ゆっくりとした速さで、復唱のためのポーズをとって読む
238_normal_pause 普通の速さで、復唱のためのポーズをとって読む
239_v_normal…… 普通の速さで男女の会話を読む
240_normal_pause 普通の速さで、復唱のためのポーズをとって読む
241_v_normal…… 普通の速さで重要語の入った文を順番に読む
242_slow_pause ゆっくりとした速さで、復唱のためのポーズをとって読む
243_normal_pause 普通の速さで、復唱のためのポーズをとって読む
244_v_normal…… 普通の速さで重要語の入った文を順番に読む
245_slow_pause ゆっくりとした速さで、復唱のためのポーズをとって読む
246_normal_pause 普通の速さで、復唱のためのポーズをとって読む
247_v_normal…… 普通の速さで重要語の入った文を順番に読む
248_slow_pause ゆっくりとした速さで、復唱のためのポーズをとって読む
249_normal_pause 普通の速さで、復唱のためのポーズをとって読む

① 関連のある五音節と七音節と五音節の文を横に読んだ後、①から③の順に読みます。リズミカルに読めるように練習しましょう。

Track 232 / 233 / 234

1

zuó tiān tiān qì hǎo	jīn tiān tiān qì bú tài hǎo	míng tiān zěn me yàng
昨天天气好	今天天气不太好	明天怎么样
昨日は天気がよかった	今日の天気はあまりよくない	明日はどうかな

2

jīn tiān xīng qī èr	yīn wèi zuó tiān xīng qī yī	míng tiān xīng qī sān
今天星期二	因为昨天星期一	明天星期三
今日は火曜日	昨日は月曜日なので	明日は水曜日だね

3

wǒ de Chén lǎo shī	hé ǎi qīn qiè yòu měi lì	xiào róng xiàng chūn tiān
我的陈老师	和蔼亲切又美丽	笑容像春天
私の陳先生は	優しく親切で美しく	春のような笑顔をもつ人です

② 非常に基本的な自己紹介の言葉“我是”（私は～です）、“爱好是”（私の趣味は～です）を自由に使えるように練習しましょう。

Track 235

❶

wǒ shì Rì běn rén 我是日本人 私は日本人です	rèn shi nǐ wǒ hěn gāo xìng 认识你我很高兴 お会いできて嬉しいです	ài hào shì kàn shū 爱好是看书 私の趣味は読書です

❷ 私は［　　　］です。

Wǒ shì
我是［　　　　　］。

Rì běn rén 日本人 日本人	Dōng jīng rén 东京人 東京の人	gāo zhōng shēng 高中生 高校生
yī nián jí 一年级 一年生	èr nián jí 二年级 二年生	sān nián jí 三年级 三年生

❸ 趣味は［　　　］です。

Ài hào shì
爱好是［　　　　　］。

yóu yǒng 游泳 水泳	kàn shū 看书 読書	huá xuě 滑雪 スキー	sàn bù 散步 散歩
jiàn zǒu 健走 ウォーキング	zhào xiàng 照相 撮影	yǎng huā 养花 花を栽培する	chàng gē 唱歌 歌をうたう
huà huàr 画画儿 絵を描く	tiào wǔ 跳舞 ダンス	shàng wǎng 上网 ネットサーフィン	pá shān 爬山 山登り

3 関連のある５音節と７音節と５音節の文を横に読んだ後、①から③の順に読みます。リズミカルに読めるように練習しましょう。

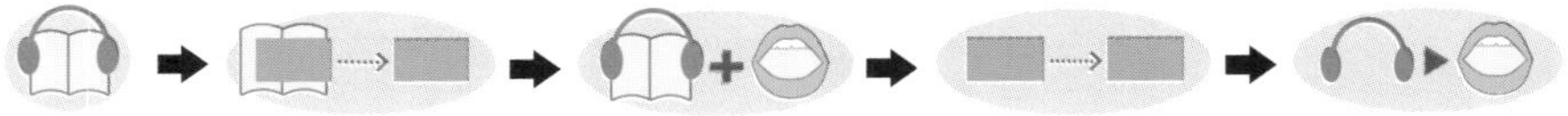

Track 236 / 237 / 238

①

nín hǎo	nǐ men hǎo	huān yíng huān yíng kuài jìn lái	qǐng zuò qǐng hē chá
您好	你们好	欢迎欢迎快进来	请坐请喝茶
こんにちは	こんにちは	ようこそ どうぞ上がってください	どうぞお掛けになってお茶を飲んでください

②

nín hǎo	nǐ men hǎo	zhè shì yì diǎnr xiǎo yì si	nǐ tài kè qi le
您好	你们好	这是一点儿小意思	你太客气了
こんにちは	こんにちは	これは大したものじゃないです	お気持ちありがとうございました

③

zhè shì shén me chá	péng you sòng de wū lóng chá	zhēn xiāng zhēn hǎo hē
这是什么茶	朋友送的乌龙茶	真香真好喝
これは何のお茶ですか	友だちからもらった烏竜茶です	いい香りがしておいしいですね

4 左のページで練習したフレーズが、ここでは会話の形ででてきます。自然な会話ができるように口慣らしをしましょう。

Track 239 / 240

X: Nínhǎo!
您好！ こんにちは。

L: Nǐmen hǎo!
你们好！ こんにちは。

Huānyíng, huānyíng, kuài jìnlai.
欢迎， 欢迎， 快进来。 ようこそ、どうぞ上がってください。

Qǐng zuò. Qǐng hē chá.
请坐。 请喝茶。 どうぞお掛けになって、お茶を飲んでください。

X: Nín hǎo.
您好。 こんにちは。

L: Nǐmen hǎo.
你们好。 こんにちは。

X: Zhè shì yìdiǎnr xiǎo yìsi.
这是一点儿小意思。 これはほんの気持ちですが。

L: Nǐ tài kèqi le.
你太客气了 そんなことをしなくてもいいのに。

X: Zhè shì shénme chá?
这是什么茶？ これはなんのお茶ですか。

L: Péngyou sòng de wūlóngchá.
朋友送的乌龙茶。 友だちからもらった烏竜茶です。

X: Zhēn xiāng zhēn hǎohē.
真香真好喝。 いい香りがしておいしいですね。

5 文法的に重要な語を含む例文です。Track 232 で音声を聞き、速さの異なる233、234はポーズの後について復唱しましょう。

Track 241 / 242 / 243

1 bǐ 比　A 比 B ＋…　A は B より…

tā jiā bǐ wǒ yuǎn
他家比我远
彼の家は私のより遠い

wǒ jiā méi yǒu tā jiā yuǎn
我家没有他家远
私の家は彼の家ほど遠くない

dào dǐ shéi jiā yuǎn
到底谁家远
一体誰の家が遠い？

---

2 guo 过　動詞＋过＋（目的語）　…したことがある

wǒ qù guo Běi jīng
我去过北京
私は北京へ行ったことがある

dàn shì méi qù guo Shàng hǎi
但是没去过上海
でも上海には行ったことがない

nǐ men qù guo ma
你们去过吗
あなたたちは行ったことがありますか

---

3 ràng 让　A 让 B＋動詞＋（目的語）　A は B に…させる

nǐ ràng wǒ bèi shī
你让我背诗
あなたは私に詩を暗記させて

bú ràng wǒ qù wài biān wán (r)
不让我去外边玩(儿)
外に遊びに行かせない

wǒ men zhēn xīn kǔ
我们真辛苦
つらいですね、私たち

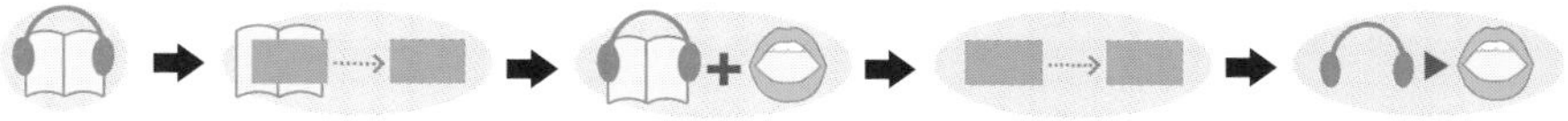

Track 244 / 245 / 246

④ de 得 動詞＋得＋…様態補語　～するのが…だ

zǎo shang qǐ de zǎo
早上起得早
朝早く起きて

wǎn shang shuì de bú tài zǎo
晚上睡得不太早
夜はあまり早く寝られず

xiū xi de bù hǎo
休息得不好
よく休めなかった

---

⑤ dào 到 動詞＋到＋結果補語　～まで…する

chū shēng huó dào lǎo
出生活到老
生まれてから年を取るまで

kǔ là suān tián bú ào nǎo
苦辣酸甜不懊恼
人生の甘酸辛苦に悩まずに

yōu yōu xué dào lǎo
悠悠学到老
悠然と年を取りながら学ぼう

---

⑥ bǎ 把 把＋…＋動詞　…を～する

míng tiān Shèng dàn jié
明天圣诞节
明日はクリスマス

qǐng bǎ lǐ wù jiāo gěi tā
请把礼物交给她
プレゼントを彼女にあげてください

bié bǎ shì wàng le
别把事忘了
そのことを忘れないで

Track 247 / 248 / 249

7 le 了　動詞＋了　【完了】～した

zuó tiān qù nǎr le
昨天去哪儿了
昨日はどこに行ったの

zuó tiān wǒ qù Sè gǔ le
昨天我去涩谷了
昨日は渋谷に行った

mǎi le yì běn shū
买了一本书
1冊の本を買った

8 le 了　～＋了　【変化】～になった

tiān qì nuǎn huo le
天气暖和了
天気が暖かくなった

yīng gāi kě yǐ yóu yǒng le
应该可以游泳了
きっと泳げるだろう

yì qǐ qù Chōng shéng
一起去冲绳
一緒に沖縄に行こう

9 bèi 被　被＋～＋動詞＋α　…を～にされる

yóu jiàn bù néng fā
邮件不能发
Eメールが送れない

kě néng bèi tā yòng huài le
可能被他用坏了
彼に壊されたのかもしれない

zhè kě zěn me bàn
这可怎么办
これはどうしよう

コラム⑤ 三行日记五七五

Track 250 / 251

日々見たこと、感じたことをメモ帳に三行日記風に作って楽しみましょう。日記を音声に出して読み、心地よい響きと情景を楽しむとよいでしょう。五七五のリズムで、自由に、いつでもどこでも誰でも楽しめます。

1 美女冲 我笑　中文沟通很顺利　做梦很愉快

日中学院別科片桐同学

美女は微笑み、中国語の会話もバリアフリーの如く楽々と。学ぶプロセスを楽しんでいる作者の夢は、そのうち夢でなくなることでしょう。

2 我找不到北　没有将来的地图　但充满梦想

日中学院別科北同学

将来への地図はなくとも、「夢」さえあれば素敵な未来へたどり着けるでしょう。学ぶことを楽しみつつ「自分探しの道」を楽しむ大学生のユーモラスな一句です。

3 去中国留学　结识了外国朋友　玩得很开心

日中学院別科大野同学

中国人の友人の他、多くの外国人の友人に恵まれ、中国での留学を楽しんでいたサラリーマンの一句。同じ志を持つ同士との出会いは、一生の財産とも言えましょう。

4 疲劳地回家　偶然看到了满月　快乐在身边

日中学院別科増田同学

仕事を終え、疲れて帰宅する途中、偶然空を見上げると、満月が輝いているのに気づきました。思わず愉快な心持になって、足取りも軽くなりました。

5 每天喝得好　七个小时睡得好　工作都顺利

日中学院別科西村同学

毎日よく飲み、よく眠り、仕事が順調に進めば、これほど嬉しいことはありません。ダイエットに励む作者は、よく食べて……とは言えないようです。

6 下班后上课　抽个时间做作业　自认好学生

日中学院別科竹内同学

仕事の後、時間を捻出するのは並大抵ではありませんが、宿題も授業の復習も完璧。学生時代より、今のほうが模範的な学生になりました。

7 每天睡得好　身体健康吃得饱　听很多音乐

日中学院别科福永同学

よく眠り、よく食べ、更に、好きな音楽をたくさん聞いて楽しめば、人生もう何も言うことはありませんね。

8 如果上课时　顺利写出五七五　我非常高兴

日中学院别科村上同学

クラスで「5分3行」という即興日記を書かされ、慣れなくて四苦八苦している作者。うまくいった時の気持ちを表現した一句。ゆっくり頑張りましょう。

9 烦恼的理由　怎么想也想不出　快乐的证明

日中学院别科萩原同学

「楽しい理由」というお題を出されたところ、悩む理由が見つからないことこそ、今を楽しんでいる証拠だと言う作者。すべてプラス思考なのが羨ましい。

10 今天学补语　现在还没复习呢　明天再学吧

日中学院别科宫本同学

なかなか復習の時間が取れない様子。「明日しようと」と言いつつも、五七五の宿題をやり遂げて、達成感を味わっている姿、何とも頼もしいではありませんか。

11 休闲散散步　浅草佃岛神乐坂　每次新发现

日中学院别科 美浓部同学

休みにはよく散歩に出かけますが、その度に、新しい発見に出会います。いろいろ思索にふけるもよし、何も考えず気の向くまま、しばし歩き続けるもの楽しいものです。

12 大家用手机　忘了写字和交谈　能说方便吗

日中学院别科菅同学

携帯があまりに便利で、紙に書いたり、会って話す機会が失われています。それは本当に便利なのでしょうか。とは言え、携帯のない暮らしに戻れそうにありません。

13 妈妈我帮忙　儿子亲切地说时　一定有什么

日中学院別科小島同学

子どもに「手伝う」と言われ、「下心」を「邪推」してしまう親。その時の光景が目に浮かぶようで、共感を呼ぶ一句。つい子どもの要求を呑んでしまうのも親心でしょう。

14 花粉症的人　好像每年很辛苦　三个月之间

日中学院別科大沢同学

花粉症の方は、毎年、辛い思いをされています。中国でも「花粉症」という言葉が通じるようになりました。自然が人間へ警鐘を鳴らしているのかもしれません。

15 阴历和阳历　在中国都是假期　总觉很羡慕

日中学院別科大谷同学

正月が終わり、はや半年。来年の正月がもう待ち遠しい。中国には「新年」と「春節」、休みがふたつもあるので、本当にうらやましい。

16 高级巧克力　虽贵却为公公买　被小狗吃光

日中学院別科今泉同学

舅と姑との関係というのは、既婚女性にとって難しい問題のようですが、作者の家庭は大変うまく行っているようです。しかしそれは子犬には関係のない話ですね。

17 快要到春天　毕业入学赏樱花　新年度开始

日中学院別科新井同学

花見の季節になると日本全国、至る所、桜・桜・桜。日本人が桜に魅了される理由は、満開の桜の景色が教えてくれます。新たな門出の季節はいつも桜色です。

18 因高楼大厦　我的母校的小学　操场没有了

日中学院別科依賀同学

ビルが建ち、母校の小学校のグランドは消えてしまいました。しかし、楽しい少年時代の思い出は、いつまでも記憶の中に生き続けています。

19 好像一场梦　我想带着各种书　都在手机里

日中学院别科桥口同学

読みたい本をいつでも好きな場所で思う存分読みたいという夢。それはもう夢の話ではなくなりました。携帯で読む本の中からは、どんな新しい夢が生まれるのでしょう。

20 今天下雨了　不过我来了学院　精神要赞扬

日中学院别科小田同学

雨にも負けず、風にも負けず、勉強のために学校に通う自分を誉めなくては。そう自分に言い聞かせ、一歩前へという向上心が清々しい一句です。

21 见到老朋友　酒逢知己千杯少　我特别开心

日中学院别科竹尾同学

古い友人に会い、思い出話に花を咲かせ、近況報告に時を忘れて、話題は尽きません。お酒も進み、楽しい時間に心弾みます。

22 童年的朋友　笑容未变头发变　能再见面吗

日中学院别科长田同学

幼馴染の友だちの笑顔は変わらないが、髪は変わったというユーモラスな一句。また会える日があるのかなという一抹の寂しさも滲んでおります。

23 下雨的时候　我喜欢在家研墨　夜里静极了

日中学院别科 五十川同学

雨の音に、墨をする音が重なり、静けさが際立ちます。心の鼓動と響き合う美しいメロディーを聞きながら、夜の静寂を楽しむ作者は、書道の先生でもあります。

24 买来的裙子　非常遗憾有点小　我打算减肥

日中学院别科高畑同学

素敵なスカートを買ってはみたものの、家に帰って穿いてみたら、ちょっときつかったということを体験したことがある方、作者だけではないでしょう。

実践トレーニング編

ここから短い６つの文章、もしくは文章の抜粋を用いて応用トレーニングをします。

基礎トレーニング編で身につけた土台の上に、意味の単位（チャンク）を考慮した語句の切り方、中国語のもつリズム、イントネーションなどにも注意して、トレーニングしましょう。文章単位になっても、自信をもって声調がブレないように発音できるようになるのが目標です。

それぞれの文章は、①普通の速さ、②ゆっくりの速さ、③普通の速さでポーズあり、④ゆっくりの速さでポーズあり、⑤語句の練習用という５種類の音声があります。

自分のペースにあう速さで、じっくり練習してください。普通の速さのポーズなしのものでシャドーイングをして、音声を聞かずに自力で正確な音読をすることが目標にして最後の仕上げをやってみましょう。

1 樱花赞《Yīnghuā zàn》 桜を謳う

冰 心《Bīngxīn》

この作品は、中国の女流作家、冰心（1900 年 - 1999 年）の作品です。冰心は小説・詩・散文・児童文学など、多くの優れた作品を残しました。

『樱花赞』は、美しい筆致で書かれた花見の風物詩です。

心に響く優れたエッセイですので、ぜひ読んでいただきたいと思います。

① 意味を確認してテキストを見ながら音声を聞き、声に出して発音しましょう。｜の後に復唱のためのポーズがあるので活用してください。

Track 258 / 259

樱花是日本的骄傲。《Yīnghuā shì Rìběn de jiāo'ào.》|到日本去的人，《Dào Rìběn qù de rén,》|未到之前，《wèi dào zhīqián,》|首先《shǒuxiān》要想起樱花；《yào xiǎngqǐ yīnghuā；》到了之后，《dàole zhīhòu,》|首先要谈到樱花。《shǒuxiān yào tándào yīnghuā.》|你若是在夏秋《Nǐ ruòshì zài xiàqiū》之间到达的，《zhījiān dàodá de,》|日本朋友们会很惋惜地说：《Rìběn péngyoumen huì hěn wǎnxī de shuō：》“你错过了樱花季节《"Nǐ cuòguòle yīnghuā jìjié》了！”《le！"》你若是冬天到达的，《Nǐ ruòshì dōngtiān dàodá de,》|他们会挽留你说：《tāmen huì wǎnliú nǐ shuō：》“多呆些日子，《"Duō dāi xiē rìzi,》等看过樱花再走吧！”《děng kànguò yīnghuā zài zǒu ba！"》|总而言之，《Zǒng ér yán zhī,》|樱花和“瑞雪灵峰”的《yīnghuā hé "ruìxuě Língfēng" de》富士山一样，《Fùshì Shān yíyàng,》|成了日本的象征。《chéngle Rìběn de xiàngzhēng.》|

我看樱花，《Wǒ kàn yīnghuā,》|往少里说，《wǎng shǎoli shuō,》|也有几十次了。《yě yǒu jǐ shí cì le.》|在东京的青山墓地看，《Zài Dōngjīng de qīngshān mùdì kàn,》|上野公园看，《Shàngyě Gōngyuán kàn,》|千鸟渊看……；《Qiānniǎoyuān kàn ……；》|在京都看，《zài Jīngdū kàn,》|奈良看……；《Nàiliáng kàn ……；》雨里看，《yǔli kàn,》|雾中看，《wùzhōng kàn,》|月下看……《yuèxià kàn ……》日本到处都有樱花，《Rìběn dàochù dōu yǒu yīnghuā,》|有的是几百《yǒu de shì jǐ bǎi》棵花树拥在一起，《kē huāshù yōngzài yìqǐ,》|有的是一两棵花树在路旁水边悄然独立。《yǒu de shì yì liǎng kē huāshù zài lùpáng shuǐbiān qiǎorán dúlì.》|

春天在日本就是沉浸在弥漫的樱花气息里！《Chūntiān zài Rìběn jiùshì chénjìnzai mímàn de yīnghuā qìxīli！》

日本語訳　桜は日本の誇りです。日本に行く人が、日本に着く前に真っ先に思い浮かべるのは桜であり、行った後もやはり、まず桜のことを語ろうとします。もし夏から秋の間に日本を訪れたならば、日本の友人たちは残念そうに「桜の季節を逃しちゃいましたね」と言うでしょう。冬に行ったならば「もう少しここで過ごして、桜を見てからお帰りなさい」と引き留めるでしょう。総じて、桜は「瑞雪の霊峰」富士山と同じく、日本のシンボルなのです。

私が桜を見たのは、少なく見積もっても数十回になります。東京の青山墓地、上野公園、千鳥ヶ淵に、京都、奈良……、雨の中、霧の中、月の下……と桜を見てきました。日本にはどこにでも桜があり、数百本の木を有する場所もあれば、道端や水辺にひっそりと 1、2 本といった所もあります。

春、日本は満ち満ちた桜の雰囲気にどっぷりと浸かっているのです。

② 本文から二音節の言葉を抜き出しました。第 1 音節と第 2 音節の声調のつながりを意識して練習しましょう。

Track 260

	四声	ピンイン	中国語	日本語
1	1+1	yīnghuā	樱花	さくら
2	1+1	zhījiān	之间	～の間
3	1+2	zhīqián	之前	～の前
4	1+4	zhīhòu	之后	～の後
5	1+4	jiāo’ào	骄傲	誇り
6	2+4	dúlì	独立	独立、独り立ち
7	2+4	mímàn	弥漫	漂う
8	2+4	chénjìn	沉浸	浸る
9	3+1	shǒuxiān	首先	まず
10	3+1	wǎnxī	惋惜	残念そうに
11	3+2	wǎnliú	挽留	引き留める
12	3+3	xiǎngqǐ	想起	思い出す
13	4+1	xiàqiū	夏秋	夏と秋
14	4+1	xiàngzhēng	象征	象徴
15	4+1	qìxī	气息	息吹
16	4+2	dàodá	到达	到達
17	4+2	lùpáng	路旁	道端
18	4+2	jìjié	季节	季節
19	4+4	cuòguò	错过	逃す
20	4+4	dàochù	到处	至る所

3 正しい四声で発音できるか、テキストを見ないで、音声を聞きながら、シャドーイングしてみましょう。復唱のためのポーズがあるので活用してください。

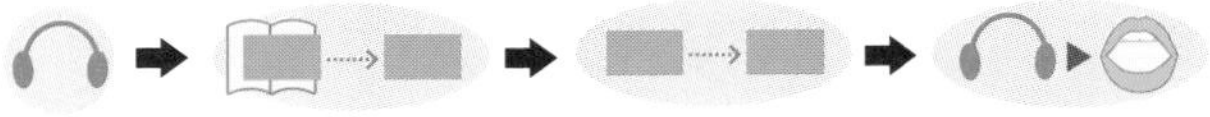

Track 261 / 262

Yīnghuā shì Rìbĕn de jiāo'ào. Dào Rìbĕn qù de rén，wèi dào zhīqián，shŏuxiān yào xiăngqĭ yīnghuā；dàole zhīhòu，shŏuxiān yào tándào yīnghuā. Nĭ ruòshì zài xiàqiū zhījiān dàodá de，Rìbĕn péngyoumen huì hĕn wănxī de shuō："Nĭ cuòguòle yīnghuā jìjié le！" Nĭ ruòshì dōngtiān dàodá de，tāmen huì wănliú nĭ shuō："Duō dāi xiē rìzi，dĕng kànguò yīnghuā zài zŏu ba！" Zŏng ér yán zhī，yīnghuā hé "ruìxuĕ Língfēng" de Fùshì Shān yíyàng，chéngle Rìbĕn de xiàngzhēng.

Wŏ kàn yīnghuā，wăng shăoli shuō，yĕ yŏu jĭ shí cì le. Zài Dōngjīng de qīngshān mùdì kàn，Shàngyĕ Gōngyuán kàn，Qiānniăoyuān kàn ……；zài Jīngdū kàn，Nàiliáng kàn ……；yǚli kàn, wùzhōng kàn, yuèxià kàn …… Rìbĕn dàochù dōu yŏu yīnghuā, yŏu de shì jĭ băi kē huāshù yōngzài yìqĭ, yŏu de shì yì liăng kē huāshù zài lùpáng shuĭbiān qiăorán dúlì.

Chūntiān zài Rìbĕn jiùshì chénjìnzài mímàn de yīnghuā qìxīli！

④ 意味を考えながらシャドーイングした後、音読してみましょう。できれば録音して正しい四声で読んでいるか確認しましょう。

Track 261 / 262

樱花是日本的骄傲。到日本去的人，未到之前，首先要想起樱花；到了之后，首先要谈到樱花。你若是在夏秋之间到达的，日本朋友们会很惋惜地说：“你错过了樱花季节了！”你若是冬天到达的，他们会挽留你说：“多呆些日子，等看过樱花再走吧！”总而言之，樱花和“瑞雪灵峰”的富士山一样，成了日本的象征。

我看樱花，往少里说，也有几十次了。在东京的青山墓地看，上野公园看，千鸟渊看……；在京都看，奈良看……；雨里看，雾中看，月下看……日本到处都有樱花，有的是几百棵花树拥在一起，有的是一两棵花树在路旁水边悄然独立。

春天在日本就是沉浸在弥漫的樱花气息里！

2 春《Chūn》 春　　　朱自清 Zhū Zìqīng

この作品は中国現代の散文作家である朱自清（1898-1948）の作品です。『春』という文章の一部で、春の風景を優しいタッチで描いています。雰囲気が明るく、詩情に溢れる散文です。同じ語が重なった言葉に注意して読みましょう。

① 意味を確認してテキストを見ながら音声を聞き、声に出して発音しましょう。|の後に復唱のためのポーズがあるので活用してください。

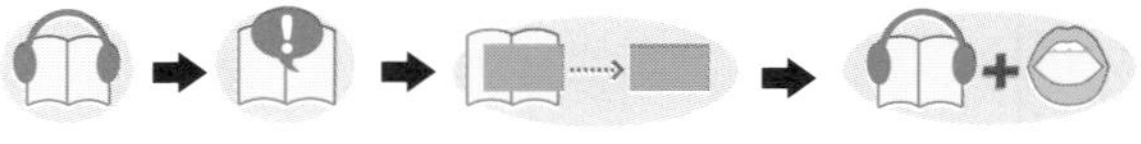

Track 263 / 264

盼望着《Pànwàngzhe》，盼望着《pànwàngzhe》，|东风来了《dōngfēng lái le》，|春天的脚步近了《chūntiān de jiǎobù jìn le》。|
一切都像刚睡醒的样子《Yíqiè dōu xiàng gāng shuìxǐng de yàngzi》，|欣欣然张开了眼《xīnxīnrán zhāngkāile yǎn》。|山《Shān》
朗润起来了《lǎngrùnqǐlái le》，|水涨起来了《shuǐ zhǎngqǐlái le》，|太阳的脸红起来了《tàiyáng de liǎn hóngqǐlái le》。|
小草偷偷地从土里钻出来《Xiǎocǎo tōutōude cóng tǔlǐ zuānchūlái》，|嫩嫩的《nènnèn de》，绿绿的《lǜlǜ de》。|
坐着《Zuòzhe》，躺着《tǎngzhe》，|打两个滚《dǎ liǎng ge gǔn》，|踢几脚球《tī jǐ jiǎo qiú》，|赛几趟跑《sài jǐ tàng pǎo》，|
捉几回迷藏《zhuō jǐ huí mícáng》。|风轻悄悄的《Fēng qīngqiāoqiāo de》，|草软绵绵的《cǎo ruǎnmiánmián de》。

日本語訳

待ち望んでいた、待ち望んでいた、東風が吹いてきて、春の足音が近づいてきた。

すべてが眠りから覚めたばかりのような様子で、嬉しそうに眼を開けた。山は、明るく輝き、川は水かさを増し、太陽はその顔を赤らめ始めた。

小さな草がこっそりと土の中から顔を出し、柔らかで、青々としている。座っている、寝転んでいる、転げまわる、ボールを蹴る、駆けっこする、隠れん坊をする。風は、軽やかにそっと吹き、草はフワフワと柔らかい。

② 本文から二音節の言葉を抜き出しました。第１音節と第２音節の四声のつながりを意識して練習しましょう。

Track 265

	声調	ピンイン	中国語	日本語
1	1＋1	chūn tiān	春天	春
2	1＋1	dōng fēng	东风	東風
3	1＋1	tōu tōu	偷偷	こっそり
4	1＋1	zhāng kāi	张开	（目を）開ける
5	1＋2	tī qiú	踢球	ボールを蹴る
6	2＋4	yí qiè	一切	すべて
7	3＋2	liǎn hóng	脸红	顔が赤くなる
8	3＋3	dǎ gǔn(r)	打滚(儿)	転げまわる
9	3＋3	tǔ lǐ	土里	土の中
10	3＋3	xiǎo cǎo	小草	小さな草
11	3＋4	jiǎo bù	脚步	足どり
12	3＋4	lǎng rùn	朗润	明るく輝く
13	3＋軽	tǎng zhe	躺着	横になっている
14	3＋2	qǐ lái	起来	～してくる
15	4＋2	tài yáng	太阳	太陽
16	4＋3	sài pǎo	赛跑	駆けっこ
17	4＋3	shuì xǐng	睡醒	目覚める
18	4＋軽	jìn le	近了	近づいてきた
19	4＋軽	yàng zi	样子	様子
20	4＋軽	zuò zhe	坐着	座っている

3 正しい四声で発音できるか、テキストを見ないで、音声を聞きながら、シャドーイングしてみましょう。復唱のためのポーズがあるので活用してください。

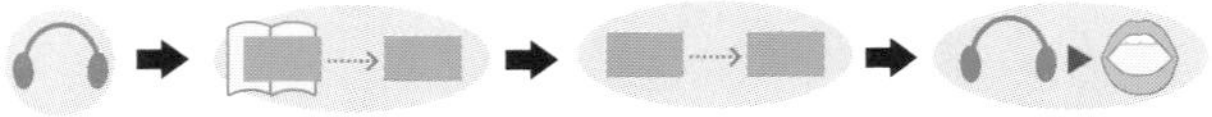

Track 266 / 267

Pànwàngzhe, pànwàngzhe, dōngfēng lái le, chūntiān de jiǎobù jìn le.

Yíqiè dōu xiàng gāng shuìxǐng de yàngzi, xīnxīnrán zhāngkāile yǎn. Shān lǎngrùnqǐlái le, shuǐ zhǎngqǐlái le , tàiyáng de liǎn hóngqǐlái le.

Xiǎocǎo tōutōude cóng tǔlǐ zuānchūlái, nènnèn de, lǜ lǜ de. Zuòzhe, tǎngzhe, dǎ liǎng ge gǔn, tī jǐ jiǎo qiú, sài jǐ tàng pǎo, zhuō jǐ huí mícáng. Fēng qīngqiāoqiāo de, cǎo ruǎnmiánmián de.

4 意味を考えながらシャドーイングした後、音読してみましょう。
できれば録音して正しい四声で読んでいるか確認しましょう。

Track 266 / 267

盼望着，盼望着，东风来了，春天的脚步近了。

一切都像刚睡醒的样子，欣欣然张开了眼。山朗润起来了，水涨起来了，太阳的脸红起来了。

小草偷偷地从土里钻出来，嫩嫩的，绿绿的。坐着，躺着，打两个滚，踢几脚球，赛几趟跑，捉几回迷藏。风轻悄悄的，草软绵绵的。

Qiūtiān

3 秋天　秋

作者不詳『小学語文』より

中国語には“秋高气爽”という言葉があり、秋晴れの穏やかな天気を表します。この作品は黄金色になった畑、落ち葉を受け入れた池、秋に備えているツバメたちなど様々な秋の情景が描写されています。場面の「静」と「動」を意識して、緩急をつけて声に出して読んでみましょう。

① 意味を確認してテキストを見ながら音声を聞き、声に出して発音しましょう。｜の後に復唱のためのポーズがあるので活用してください。

Track 268 / 269

Tiān nàme gāo, nàme lán. Gāogāo de lántiānshang piāozhe jǐ duǒ báiyún.
天那么高，｜那么蓝。｜高高的蓝天上飘着几朵白云。｜
Lántiānxià shì yì yǎn wàngbudào biān de dàotián. Dàozi shú le, huángdēngdēng
蓝天下是一眼望不到边的稻田。｜稻子熟了，｜黄澄澄
de, xiàng pūle yí dì jīnzi.
的，｜像铺了一地金子。｜
Dàotián pángbiān yǒu ge chítáng. Chítáng de biānshang yǒu kē wútóngshù. Yí piàn
稻田旁边有个池塘。｜池塘的边上有棵梧桐树。｜一片
yí piàn de huángyè cóng shùshang luòxiàlái. Yǒu de luòdào shuǐlǐ, xiǎoyú yóuguòqù,
一片的黄叶从树上落下来。｜有的落到水里，｜小鱼游过去，｜
cángzài dǐxià, bǎ tā dàngzuò sǎn. Yǒu de luòzài ànbiān, mǎyǐ páshàngqù,
藏在底下，｜把它当做伞。｜有的落在岸边，｜蚂蚁爬上去｜，
láihuí pǎozhe, bǎ tā dàngzuò yùndòngchǎng.
来回跑着，｜把它当做运动场。｜
Dàotián nàbiān fēilái liǎng zhī yànzi, kànjiàn shùyè wǎng xià luò, yìbiān fēi yìbiān
稻田那边飞来两只燕子，｜看见树叶往下落，｜一边飞一边
jiào, hǎoxiàng zài shuō: “Diànbào lái le, cuī wǒmen gǎnkuài dào nánfāng qù ne!”
叫，｜好像在说：｜“电报来了，｜催我们赶快到南方去呢！”

日本語訳

空はこんなに高くて青い。高い青空には、白い雲が漂っている。

青空の下には、稲田が果てしなく広がっている。稲が実って、黄色くて金を地面にまき散らしたようだ。

稲田の隣には池がある。池の近くにはアオギリの木が 1 本ある。木から黄色い葉がひらひらと落ちてくる。水面に落ちた葉は、小さい魚が傘にして、下に隠れている。岸辺に落ちた葉は、蟻が運動場にして、上で走り回る。

稲田から燕が 2 羽飛んできて、木の葉が落ちていくを見て、飛びながら鳴いていた。その声は､「電報がきた､私たちに早く南方に帰るよう催促しているよ」のように聞こえる。

2 本文から二音節の言葉を抜き出しました。第 1 音節と第 2 音節の声調のつながりを意識して練習しましょう。

Track 270

	四声	ピンイン	中国語	日本語
1	1 ＋ 1	qiū tiān	秋天	秋
2	1 ＋軽	jīn zi	金子	黄金
3	2 ＋ 1	lán tiān	蓝天	青い空
4	2 ＋ 1	nán fāng	南方	南方
5	2 ＋ 1	páng biān	旁边	隣
6	2 ＋ 2	bái yún	白云	白雲
7	2 ＋ 2	chí táng	池塘	池
8	2 ＋ 4	huáng yè	黄叶	黄色い葉
9	3 ＋ 2	xiǎo yú	小鱼	小さい魚
10	3 ＋ 3	mǎ yǐ	蚂蚁	蟻
11	3 ＋ 4	gǎn kuài	赶快	急いで
12	3 ＋ 4	hǎo xiàng	好像	～らしい
13	3 ＋軽	wǒ men	我们	私たち
14	4 ＋ 1	àn biān	岸边	岸のあたり
15	4 ＋ 2	dào tián	稻田	水田
16	4 ＋ 4	dàng zuò	当做	見なす
17	4 ＋ 4	diàn bào	电报	電報
18	4 ＋ 4	shù yè	树叶	木の葉
19	4 ＋軽	dào zi	稻子	稲
20	4 ＋軽	yàn zi	燕子	燕

③ 正しい四声で発音できるか、テキストを見ないで、音声を聞きながら、シャドーイングしてみましょう。復唱のためのポーズがあるので活用してください。

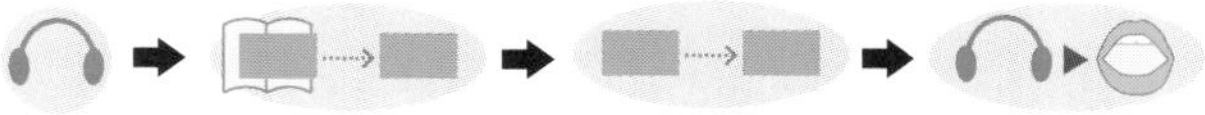

Track 271 / 272

Tiān nàme gāo, nàme lán. Gāogāo de lántiānshang piāozhe jĭ duŏ báiyún.

Lántiān xià shì yì yăn wàngbudào biān de dàotián, Dàozi shú le, huángdēngdēngde, xiàng pūle yí dì jīnzi.

Dàotián pángbiān yŏu ge chítáng. Chítáng de biānshang yŏu kē wútóngshù. Yí piàn yí piàn de huángyè cóng shùshang luòxiàlái. Yŏu de luòdào shuĭlĭ, xiăoyú yóuguòqù, cángzài dĭxià, bă tā dàngzuò săn. Yŏu de luòzài ànbiān, măyĭ páshàngqù, láihuí păozhe, bă tā dàngzuò yùndòngchăng.

Dàotián nàbiān fēilái liăng zhī yànzi, kànjiàn shùyè wăng xià luò, yìbiān fēi yìbiān jiào, hăoxiàng zài shuō: “Diànbào lái le, cuī wŏmen gănkuài dào nánfāng qù ne!”

④ 意味を考えながらシャドーイングした後、音読してみましょう。できれば録音して正しい四声で読んでいるか確認しましょう。

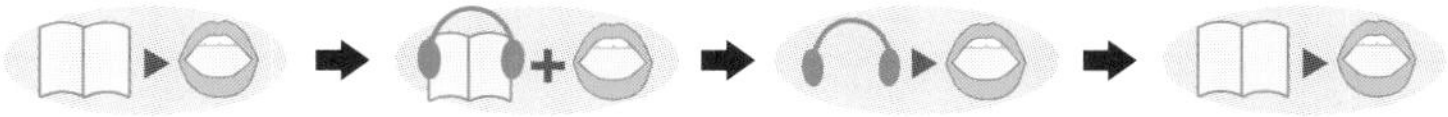

Track 271 / 272

天那么高，那么蓝。高高的蓝天上飘着几朵白云。

蓝天下是一眼望不到边的稻田。稻子熟了，黄澄澄的，像铺了一地金子。

稻田旁边有个池塘。池塘的边上有棵梧桐树。一片一片的黄叶从树上落下来。有的落到水里，小鱼游过去，藏在底下，把它当做伞。有的落在岸边，蚂蚁爬上去，来回跑着，把它当做运动场。

稻田那边飞来两只燕子，看见树叶往下落，一边飞一边叫，好像在说：“电报来了，催我们赶快到南方去呢！”

4 过年《Guònián》 年越し

老舍 Lǎo Shě

この作品は新文学の開拓者といわれる北京生まれの老舎（1899-1966）の作品です。『北京の春節』という文章の一部で、中国の伝統的な春節の賑やかな景色を紹介しています。情景を思い浮かべながら、修飾語に気をつけて、声に出して読んでみましょう。

① 意味を確認してテキストを見ながら音声を聞き、声に出して発音しましょう。|の後に復唱のためのポーズがあるので活用してください。

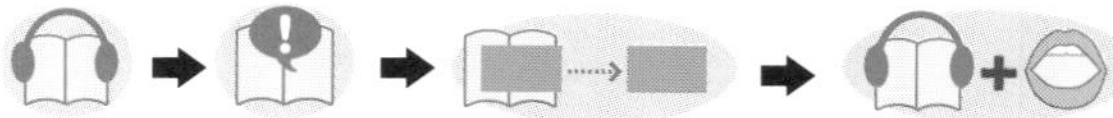

Track 273 / 274

除夕真热闹《Chúxī zhēn rènao.》。| 家家都赶做年菜《Jiājiā dōu gǎn zuò niáncài,》，| 到处是酒肉的香味儿《dàochù shì jiǔròu de xiāngwèir.》。| 男女老少都穿起新衣《Nánnǚ lǎoshào dōu chuānqǐ xīnyī,》，| 门外贴好红红的对联《ménwài tiēhǎo hónghóng de duìlián,》，| 屋里贴好各色的年画《wūlǐ tiēhǎo gèsè de niánhuà,》，| 哪一家都灯火通宵《nǎ yì jiā dōu dēnghuǒ tōngxiāo,》，| 不许间断《bùxǔ jiànduàn,》，| 炮声日夜不绝《pàoshēng rìyè bù jué.》。| 在外边做事的人《Zài wàibian zuò shì de rén,》，| 除非万不得已《chúfēi wàn bù dé yǐ,》，| 必定赶回家来《bìdìng gǎn huí jiā lái,》，| 吃团圆饭《chī tuányuánfàn,》，祭祖《jìzǔ.》。| 这一夜《Zhè yí yè,》，| 除了很小的孩子《chúle hěn xiǎo de háizi,》，| 没有什么人睡觉《méiyǒu shénme rén shuìjiào,》，| 而都要守岁《ér dōu yào shǒusuì.》。

日本語訳

大晦日は本当に賑やかだ。どの家も急いで年越しの料理を作る。酒や肉の匂いがあっちこっち漂っている。老若男女はみんな新しい服を着る。家の外には赤い対聯が掛かり、家の中はさまざまな色の年画（春節の際掛ける吉祥を表す絵）が貼られている。どの家でも一晩中明かりを消さず、爆竹の音も絶えず聞こえる。外で仕事をしている人も、やむを得ない場合以外、必ず家に帰って、一家団欒でご飯を食べ、先祖をまつる。大晦日には、小さな子供以外ほとんどの人が、寝ずに年越しをする。

② 本文から二音節の言葉を抜き出しました。第 1 音節と第 2 音節の四声のつながりを意識して練習しましょう。

Track 275

	四声	ピンイン	中国語	日本語
1	1 + 1	tōng xiāo	通宵	徹夜
2	1 + 3	dēng huǒ	灯火	灯火
3	1 + 3	wū lǐ	屋里	部屋の中
4	1 + 4	xiāng wèir	香味儿	香り
5	2 + 1	chú fēi	除非	～しないかぎり
6	2 + 1	chú xī	除夕	大晦日
7	2 + 4	mén wài	门外	玄関の外
8	2 + 4	nián huà(r)	年画(儿)	年画
9	2 +軽	chú le	除了	～を除いて
10	3 + 4	jiǔ ròu	酒肉	酒と肉
11	3 + 4	shǒu suì	守岁	寝ずに年越しをする
12	4 + 1	pào shēng	炮声	爆竹の音
13	4 + 2	duì lián(r)	对联(儿)	対聯
14	4 + 2	guò nián	过年	年越し
15	4 + 3	bù xǔ	不许	～してはいけない
16	4 + 3	jì zǔ	祭祖	先祖をまつる
17	4 + 4	bì dìng	必定	必ず
18	4 + 4	jiàn duàn	间断	途切れる
19	4 +軽	rè nao	热闹	賑やか
20	4 +軽	wài bian	外边	外

③ 正しい四声で発音できるか、テキストを見ないで、音声を聞きながら、シャドーイングしてみましょう。復唱のためのポーズがあるので活用してください。

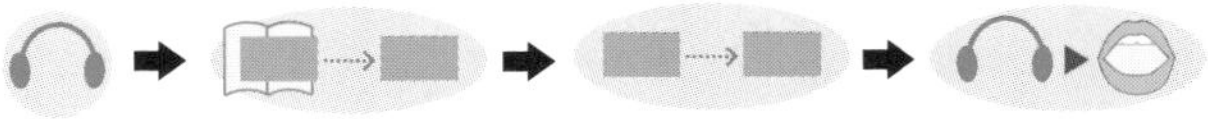

Track 276 / 277

Chúxī zhēn rènao. Jiājiā dōu gǎn zuò niáncài, dàochù shì jiǔròu de xiāngwèir. Nánnǚ lǎoshào dōu chuānqǐ xīnyī, ménwài tiēhǎo hónghóng de duìlián, wūlǐ tiēhǎo gèsè de niánhuà, nǎ yì jiā dōu dēnghuǒ tōngxiāo, bùxǔ jiànduàn, pàoshēng rìyè bù jué. Zài wàibian zuò shì de rén, chúfēi wàn bù dé yǐ, bìdìng gǎnhuí jiā lái, chī tuányuánfàn, jìzǔ. Zhè yí yè, chúle hěn xiǎo de háizi, méiyǒu shénme rén shuìjiào, ér dōu yào shǒusuì.

④ 意味を考えながらシャドーイングした後、音読してみましょう。できれば録音して正しい四声で読んでいるか確認しましょう。

Track 276 / 277

除夕真热闹。家家都赶做年菜，到处是酒肉的香味儿。男女老少都穿起新衣，门外贴好红红的对联，屋里贴好各色的年画，哪一家都灯火通宵，不许间断，炮声日夜不绝。在外边做事的人，除非万不得已，必定赶回家来，吃团圆饭，祭祖。这一夜，除了很小的孩子，没有什么人睡觉，而都要守岁。

5 Shū yùn
书韵 本の楽しみ　　汪国真 Wāng Guózhēn

この作品は汪国真（1956～）の作品です。作者は現代の有名な詩人、書道家です。『書韻』という文章の一部で、本を永遠に裏切らない友だちに喩え、読書の大切さを伝えています。対比されるフレーズ文の中で強調されるように意識しながら読んでみましょう。

① 意味を確認してテキストを見ながら音声を聞き、声に出して発音しましょう。|の後に復唱のためのポーズがあるので活用してください。

Track 278 / 279

Péngyou bú shì shū,　shū què shì péngyou.　Péngyou kěnéng bèipàn nǐ,　shū
　朋友不是书，｜书却是朋友。｜朋友可能背叛你，｜书
què yǒngyuǎn zhōngshí. Zěnme bàn ne?　Xiàng xuǎnzé shū yíyàng qù xuǎnzé péngyou,
却永远忠实。｜怎么办呢？｜像选择书一样去选择朋友，｜
xiàng rè'ài péngyou yíyàng qù rè'ài shū.
像热爱朋友一样去热爱书。｜
Wénzì zǔchéng yì běn shū,　dàzìrán zǔchéng lìng yì běn shū.　Zài níngjìng yōuxián
　文字组成一本书，｜大自然组成另一本书。｜在宁静悠闲
de shíhou,　wǒ jiù qù dú wénzì de shū,　zài yōuyù chénmèn de shíhou,
的时候，｜我就去读文字的书，｜在忧郁沉闷的时候，｜我就
wǒ jiù qù dú dàzìrán de shū.　Dāng wǒ cóng wénzì de shūzhōng zǒuchūlái de shíhou,
去读大自然的书。｜当我从文字的书中走出来的时候，｜
wǒ hǎoxiàng chéngle zhérén,　dāng wǒ cóng dàzìrán de shūzhōng zǒuchūlái de shíhou,
我好像成了哲人，｜当我从大自然的书中走出来的时候，｜
wǒ fǎngfú chéngle háizi.
我仿佛成了孩子。｜　……（中略）……
Duìyú fēicháng fánmáng de rén lái shuō, dúshū shì yì zhǒng xiūxi; duìyú shífēn
　对于非常繁忙的人来说，｜读书是一种休息；｜对于十分
xiánxiá de rén lái shuō, dúshū shì yì zhǒng gōngzuò. Shū, shì shēnghuózhōng zuìhǎo de tiáowèijiǔ.
闲暇的人来说，｜读书是一种工作。｜书，是生活中最好的调味酒。

日本語訳　友だちは本ではない、けれど本は友だちだ。友だちはあなたを裏切るかもしれない、けれど本は永遠に忠実だ。どうしたらいい？　本を選ぶのと同じように友だちを選び、友だちを愛するのと同じように本を愛するのだ。

文字の本があり、大自然という本もある。静かでゆったりしているとき、文字の本を読む、憂鬱で重苦しいとき、私は大自然という本を読む。文字の本の世界から出てきたとき、私はまるで哲学者のようになり、大自然という本から出てくると、私はまるで子どものようになる。……（中略）……とても忙しい人にとっては、読書は一種の休息であり、十分な余暇のある人にとっては、読書は一種の仕事だ。本、それは生活の中の最もよい調味酒だ。

② 本文から二音節の言葉を抜き出しました。第一音節と第二音節の四声のつながりを意識して練習しましょう。

Track 280

	四声	ピンイン	中国語	日本語
1	1＋2	yōu xián	悠闲	のんびり
2	1＋2	zhōng shí	忠实	忠実
3	1＋4	gōng zuò	工作	仕事
4	1＋4	yōu yù	忧郁	憂鬱
5	1＋軽	xiū xi	休息	休憩
6	2＋1	shí fēn	十分	とても
7	2＋2	fán máng	繁忙	忙しい
8	2＋2	xián xiá	闲暇	暇
9	2＋2	zhé rén	哲人	哲学者
10	2＋4	chén mèn	沉闷	うっとうしい
11	2＋4	níng jìng	宁静	静か
12	2＋4	tiáo wèi	调味	味付けする
13	2＋軽	péng you	朋友	友だち
14	3＋2	fǎng fú	仿佛	～のようだ
15	3＋2	kě néng	可能	かもしれない
16	3＋2	xuǎn zé	选择	選ぶ
17	3＋2	zǔ chéng	组成	組み立てる
18	3＋3	yǒng yuǎn	永远	永遠に
19	4＋4	bèi pàn	背叛	裏切る
20	4＋4	rè ài	热爱	愛する

3 正しい四声で発音できるか、テキストを見ないで、音声を聞きながら、シャドーイングしてみましょう。復唱のためのポーズがあるので活用してください。

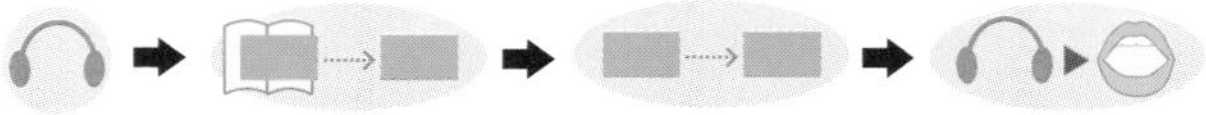

Track 281 / 282

Péngyou bú shì shū, shū què shì péngyou. Péngyou kěnéng bèipàn nǐ, shū què yǒngyuǎn zhōngshí. Zěnme bàn ne? Xiàng xuǎnzé shūyíyàng qù xuǎnzé péngyou, xiàng rè'ài péngyou yíyàng qù rè'ài shū.

Wénzì zǔchéng yì běn shū, dàzìrán zǔchéng lìng yì běn shū. Zài níngjìng yōuxián de shíhou, wǒ jiù qù dú wénzì de shū, zài yōuyù chénmèn de shíhou, wǒ jiù qù dú dàzìrán de shū. Dāng wǒ cóng wénzì de shūzhōng zǒuchūlái de shíhou, wǒ hǎoxiàng chéngle zhérén, dāng wǒ cóng dàzìrán de shūzhōng zǒuchūlái de shíhou, wǒ fǎngfú chéngle háizi.

Duìyú fēicháng fánmáng de rén lái shuō, dúshū shì yì zhǒng xiūxi; duìyú shífēn xiánxiá de rén lái shuō, dúshū shì yì zhǒng gōngzuò. Shū, shì shēnghuózhōng zuìhǎo de tiáowèijiǔ.

④ 意味を考えながらシャドーイングした後、音読してみましょう。できれば録音して正しい四声で読んでいるか確認しましょう。

Track 281 / 282

朋友不是书，书却是朋友。朋友可能背叛你，书却永远忠实。怎么办呢？像选择书一样去选择朋友，像热爱朋友一样去热爱书。

文字组成一本书，大自然组成另一本书。在宁静悠闲的时候，我就去读文字的书，在忧郁沉闷的时候，我就去读大自然的书。当我从文字的书中走出来的时候，我好像成了哲人，当我从大自然的书中走出来的时候，我仿佛成了孩子。

对于非常繁忙的人来说，读书是一种休息；对于十分闲暇的人来说，读书是一种工作。书，是生活中最好的调味酒。

6 miàn cháo dàhǎi，chūn nuǎn huā kāi
面朝大海，春暖花开　大海に臨み、春爛漫　海子 Hǎizǐ

この作品は、詩人「海子」の作品です。この詩は、様々な詩集に引用され、多くの詩の朗読会で朗読されています。

「春暖花開」は、元々四字熟語ですが、すぐ「面朝大海」の句が連想されるほど、この詩には大きな影響力があります。

① 意味を確認してテキストを見ながら音声を聞き、声に出して発音しましょう。｜の後に復唱のためのポーズがあるので活用してください。

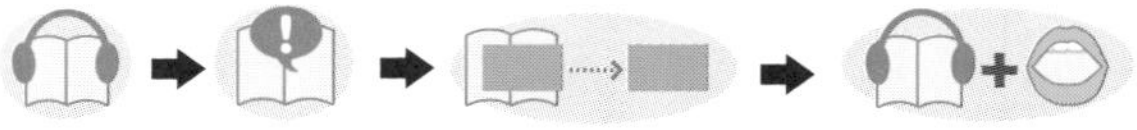

Track 283 / 284

Cóng míngtiān qǐ，zuò yí ge xìngfú de rén
从明天起，｜做一个幸福的人｜
wèi mǎ、pīchái，　zhōuyóu shìjiè
喂马、劈柴，｜周游世界｜
cóng míngtiān qǐ，guānxīn liángshi hé shūcài
从明天起，｜关心粮食和蔬菜｜
wǒ yǒu yì suǒ fángzi，　miàn cháo dàhǎi，chūn nuǎn huā kāi
我有一所房子，｜面朝大海，｜春暖花开｜

cóng míngtiān qǐ，hé měi yí ge qīnrén tōngxìn
从明天起，｜和每一个亲人通信｜
gàosu tāmen wǒ de xìngfú
告诉他们我的幸福｜
nà xìngfú de shǎndiàn gàosu wǒ de
那幸福的闪电告诉我的｜
wǒ jiāng gàosu měi yí ge rén
我将告诉每一个人｜

gěi měi yì tiáo hé měi yí zuò shān qǔ yí ge wēnnuǎn de míngzi
给每一条河每一座山取一个温暖的名字｜
mòshēngrén，wǒ yě wèi nǐ zhùfú
陌生人，我也为你祝福｜
yuàn nǐ yǒu yí ge cànlàn de qiánchéng
愿你有一个灿烂的前程｜
yuàn nǐ yǒuqíngrén zhōng chéng juànshǔ
愿你有情人终成眷属｜
yuàn nǐ zài chénshì huòdé xìngfú
愿你在尘世获得幸福｜
wǒ zhǐ yuàn miàn cháo dàhǎi，chūn nuǎn huā kāi
我只愿面朝大海，｜春暖花开｜

日本語訳

明日から幸せな人になろう
馬に餌をやり、薪を割り、世界を回る
明日から、食糧と野菜に関心を持とう
私には、大海に臨み、春爛漫を楽しむ家がある

明日から全ての家族や親戚に連絡しよう
彼らに私の幸せを伝えよう
その幸せな稲妻が私に伝えたものを
すべての人に伝えよう

すべての川とすべての山に優しい名前をつけよう
知らない人よ、君に祝福しよう
輝かしい未来があるように
愛し合う人が一緒になるように
浮世で幸せになるように
私は、ただ、大海に臨み、花咲き乱れる春の暖かさに包まれたい

② 本文から二音節の言葉を抜き出しました。第一音節と第二音節の四声のつながりを意識して練習しましょう。

Track 285

	四声	ピンイン	中国語	日本語
1	1+1	guānxīn	关心	関心
2	1+2	zhōuyóu	周游	周遊
3	1+2	qīnrén	亲人	家族、親戚
4	1+3	wēnnuǎn	温暖	暖かい
5	1+4	shūcài	蔬菜	野菜
6	1+4	tōngxìn	通信	通信
7	2＋軽	liángshi	粮食	食糧
8	2＋軽	fángzi	房子	うち、家
9	2+1	míngtiān	明天	明日
10	2+2	qiánchéng	前程	前途
11	2+4	chénshì	尘世	浮世
12	3+4	shǎndiàn	闪电	稲妻
13	4+1	mòshēng	陌生	知らない
14	4+2	xìngfú	幸福	幸福
15	4+2	zhùfú	祝福	祝福
16	4+2	huòdé	获得	獲得
17	4+3	dàhǎi	大海	大海
18	4+4	shìjiè	世界	世界
19	4+4	cànlàn	灿烂	輝かしい
20	4＋軽	gàosu	告诉	伝える（教える）

③ 正しい四声で発音できるか、テキストを見ないで、音声を聞きながら、シャドーイングしてみましょう。復唱のためのポーズがあるので活用してください。

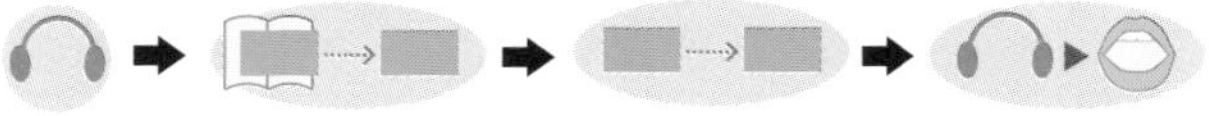

Track 286 / 287

Cóng míngtiān qǐ，zuò yí ge xìngfú de rén

wèi mǎ、pīchái，zhōuyóu shìjiè

cóng míngtiān qǐ，guānxīn liángshi hé shūcài

wǒ yǒu yí suǒ fángzi，miàn cháo dàhǎi，chūn nuǎn huā kāi

cóng míngtiān qǐ，hé měi yí ge qīnrén tōngxìn

gàosu tāmen wǒ de xìngfú

nà xìngfú de shǎndiàn gàosu wǒ de

wǒ jiāng gàosu měi yí ge rén

gěi měi yì tiáo hé měi yí zuò shān qǔ yí ge wēnnuǎn de míngzi

mòshēngrén，wǒ yě wèi nǐ zhùfú

yuàn nǐ yǒu yí ge cànlàn de qiánchéng

yuàn nǐ yǒuqíngrén zhōng chéng juànshǔ

yuàn nǐ zài chénshì huòdé xìngfú

wǒ zhǐ yuàn miàn cháo dàhǎi，chūn nuǎn huā kāi

4 意味を考えながらシャドーイングした後、音読してみましょう。できれば録音して正しい四声で読んでいるか確認しましょう。

Track 286 /287

从明天起，做一个幸福的人
喂马、劈柴，周游世界
从明天起，关心粮食和蔬菜
我有一所房子，面朝大海，春暖花开

从明天起，和每一个亲人通信
告诉他们我的幸福
那幸福的闪电告诉我的
我将告诉每一个人

给每一条河每一座山取一个温暖的名字
陌生人，我也为你祝福
愿你有一个灿烂的前程
愿你有情人终成眷属
愿你在尘世获得幸福
我只愿面朝大海，春暖花开

7 匆匆《Cōngcōng》 慌ただしさ　　朱自清 Zhū Zìqīng

この作品は朱自清の『匆匆』という散文の一部です。代表作のひとつで、時間の過ぎ去っていく様が生き生きと描き出されていることでよく知られています。抽象的な意味が、擬人法で表されているので、擬人法で表されている動詞や名詞を意識して、注意しながら声に出して練習しましょう。

① 意味を確認してテキストを見ながら音声を聞き、声に出して発音しましょう。|の後に復唱のためのポーズがあるので活用してください。

Track 288 / 289

去的尽管去了，《Qù de jǐnguǎn qù le,》|来的尽管来着；《lái de jǐnguǎn láizhe;》|去来的中间，《qù lái de zhōngjiān,》|又《yòu》
怎样地匆匆呢？《zěnyàngde cōngcōng ne?》|早上我起来的时候，《Zǎoshang wǒ qǐlái de shíhou,》|小屋里射进两三方《xiǎowūli shèjìn liǎng sān fāng》
斜斜的太阳。《xiéxié de tàiyáng.》|太阳他有脚啊，《Tàiyáng tā yǒu jiǎo a,》|轻轻悄悄地挪移了；《qīngqīngqiāoqiāo de nuóyí le;》|我《wǒ》
也茫茫然跟着旋转。《yě mángmángrán gēnzhe xuánzhuǎn.》|于是——《Yúshì —》洗手的时候，《xǐshǒu de shíhou,》|日子从水盆《rìzi cóng shuǐpén》
里过去；《li guòqù;》|吃饭的时候，《chīfàn de shíhou,》|日子从饭碗里过去；《rìzi cóng fànwǎnli guòqù;》|默默时，《mòmò shí,》
便从凝然的双眼前过去。《biàn cóng níngrán de shuāngyǎn qián guòqu.》|我觉察他去得匆匆了，《Wǒ juéchá tā qùde cōngcōng le,》|伸出手《shēnchū shǒu》
遮挽时，《zhēwǎn shí,》|他又从遮挽着的手边过去，《tā yòu cóng zhēwǎnzhe de shǒubiān guòqù,》|天黑时，我躺在床《tiān hēi shí, wǒ tǎngzài chuáng》
上，《shang,》|他便伶伶俐俐地从我身上跨过，《tā biàn línglínglìlì de cóng wǒ shēnshang kuàguò,》|从我脚边飞去了。《cóng wǒ jiǎobiān fēiqù le.》|
等我睁开眼和太阳再见，《Děng wǒ zhēngkāi yǎn hé tàiyáng zàijiàn,》|这算又溜走了一日。《zhè suàn yòu liūzǒule yí rì.》|我掩着面《Wǒ yǎnzhe miàn》
叹息。《tànxī.》|但是新来的日子的影儿又开始在叹息里闪过了。《Dànshì xīn lái de rìzi de yǐngr yòu kāishǐ zài tànxīli shǎnguò le.》

日本語訳　去るものは去り、来るものはやって来るが、この行き来する間は、どんなに忙しいことだろう。朝、私が起きるとき、部屋の窓から斜めの日差しが入る。太陽には足がある、軽くそっと移動する。私もぼんやりしてついて回る。そして、私が手を洗っているとき、時はたらいから去っていく。食事をしているときは、茶碗から去っていく。黙っているときは、じっとしている両目の前から去っていく。時が慌ただしく去っていくのに気づき、手を伸ばし遮ろうとすると、時はまた遮る手の辺りから去っていく。空が暗くなり、私がベッドに横になると、軽やかに私の体をまたいでいき、足元辺りから飛び去っていく。私が目を開け太陽と再会すると、また一日がこっそり逃げ去ることになる。私は顔を覆ってため息をつく。しかし新しく来た日の影はまたため息のなかにさっさと逃げ去ってしまう。

② 本文から二音節の言葉を抜き出しました。第 1 音節と第 2 音節の四声のつながりを意識して練習しましょう。

Track 290

	四声	ピンイン	中国語	日本語
1	1 + 1	cōng cōng	匆匆	慌ただしさ
2	1 + 1	zhēng kāi	睁开	(目を)覚ます
3	1 + 1	zhōng jiān	中间	間
4	1 + 3	kāi shĭ	开始	始まる
5	1 + 3	liū zŏu	溜走	こっそり逃げ去る
6	1 + 3	shuāng yăn	双眼	両目
7	1 + 4	chī fàn	吃饭	ごはんを食べる
8	2 + 2	jué chá	觉察	気づく
9	2 + 2	níng rán	凝然	じっとしている
10	2 + 3	xuán zhuăn	旋转	回る
11	2 + 軽	lái zhe	来着	来ている
12	2 + 軽	shí hou	时候	～の時
13	3 + 1	xiăo wū	小屋	小屋
14	3 + 2	shuĭ pén	水盆	たらい
15	3 + 3	jĭn guăn	尽管	～だけど
16	3 + 3	xĭ shŏu	洗手	手を洗う
17	4 + 1	tàn xī	叹息	ため息
18	4 + 3	fàn wăn	饭碗	茶碗
19	4 + 4	mò mò	默默	黙る
20	4 + 軽	rì zi	日子	日々

3 正しい四声で発音できるか、テキストを見ないで、音声を聞きながら、シャドーイングしてみましょう。復唱のためのポーズがあるので活用してください。

Track 291 / 292

Qù de jǐnguǎn qù le, lái de jǐnguǎn láizhe; qù lái de zhōngjiān, yòu zěnyàngde cōngcōng ne? Zǎoshang wǒ qǐlái de shíhou, xiǎowūli shèjìn liǎng sān fāng xiéxié de tàiyáng. Tàiyáng tā yǒu jiǎo a, qīngqīngqiāoqiāo de nuóyí le; wǒ yě mángmángrán gēnzhe xuánzhuǎn. Yúshì——xǐshǒu de shíhou, rìzi cóng shuǐpén li guòqù; chīfàn de shíhou, rìzi cóng fànwǎn li guòqù;
mòmò shí, biàn cóng níngrán de shuāngyǎn qián guòqù. Wǒ juéchá tā qùde cōngcōng le, shēnchū shǒu zhēwǎn shí, tā yòu cóng zhēwǎnzhe de shǒubiān guòqù, tiān hēi shí, wǒ tǎngzài chuángshang, tā biàn línglínglìlì de cóng wǒ shēnshang kuàguò, cóng wǒ jiǎobiān fēiqù le. Děng wǒ zhēngkāi yǎn hé tàiyáng zàijiàn, zhè suàn yòu liūzǒule yí rì. Wǒ yǎnzhe miàn tànxī. Dànshì xīn lái de rìzi de yǐngr yòu kāishǐ zài tànxīli shǎnguò le.

4 意味を考えながらシャドーイングした後、音読してみましょう。できれば録音して正しい四声で読んでいるか確認しましょう。

Track 291 / 292

　去的尽管去了，来的尽管来着；去来的中间，又怎样地匆匆呢？早上我起来的时候，小屋里射进两三方斜斜的太阳。太阳他有脚啊，轻轻悄悄地挪移了；我也茫茫然跟着旋转。于是——洗手的时候，日子从水盆里过去；吃饭的时候，日子从饭碗里过去；默默时，便从凝然的双眼前过去。我觉察他去得匆匆了，伸出手遮挽时，他又从遮挽着的手边过去，天黑时，我躺在床上，他便伶伶俐俐地从我身上跨过，从我脚边飞去了。等我睁开眼和太阳再见，这算又溜走了一日。我掩着面叹息。但是新来的日子的影儿又开始在叹息里闪过了。

8 学外语《Xué wàiyǔ》 外国語を学ぶ

胡 興智

このエッセイは著者による作品です。中国語の勉強をしていて楽しいときも辛いときも、この文章を思い出して欲しいと思います。ここでは著者自らの朗読を聞きながら、リズミカルに読むことを意識してみましょう。

1 意味を確認してテキストを見ながら音声を聞き、声に出して発音しましょう。｜の後に復唱のためのポーズがあるので活用してください。

Track 293/294

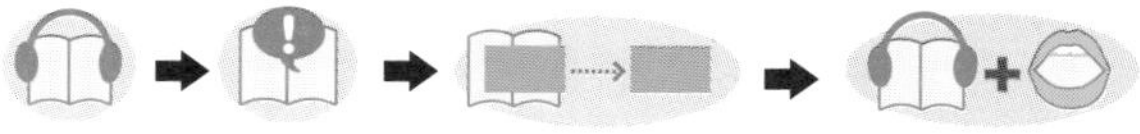

学外语有很多门《Xué wàiyǔ yǒu hěn duō mén》，｜从哪儿都可以进来《cóng nǎr dōu kěyǐ jìnlái》。｜但有《Dàn yǒu》没有捷径《méiyǒu jiéjìng》？｜只有走出去的人才知道《Zhǐyǒu zǒuchūqù de rén cái zhīdào》。｜

通向终点的路《Tōngxiàng zhōngdiǎn de lù》，｜有长有短《yǒu cháng yǒu duǎn》，｜有宽有窄《yǒu kuān yǒu zhǎi》，｜有缓《yǒu huǎn》有急《yǒu jí》，｜有曲有直《yǒu qū yǒu zhí》。｜路上的辛辛苦苦《Lùshang de xīnxīnkǔkǔ》、｜欢欢喜喜《huānhuānxǐxǐ》，｜时时刻刻陪伴着你《shíshíkèkè péibànzhe nǐ》。｜

每个学会外语的人都有自己的路《Měi ge xuéhuì wàiyǔ de rén dōu yǒu zìjǐ de lù》，｜是靠辛勤的《shì kào xīnqín de》汗水和丰富的想像《hànshuǐ hé fēngfù de xiǎngxiàng》，｜一步一步走出来的《yí bù yí bù zǒuchūlái de》。

日本語訳

外国語を学ぶにはたくさんの入り口があり、どこからでも勉強し始めることができる。しかし、近道があるかといえば、それは、マスターした人だけがわかるのだと思う。

ゴールへの道は、時には長かったり近かったり、時には広かったり狭かったり、時には緩やかだったり急だったり、時には曲がったりまっすぐだったりする。その道には、辛さ、喜びが絶えずついて回る。

外国語をマスターした人にはどの人にも自分自身の道がある。努力の汗と豊かな想像によって一歩一歩歩んできたものだ。

② 本文から二音節の言葉を抜き出しました。第 1 音節と第 2 音節の四声のつながりを意識して練習しましょう。

Track 295

	四声	ピンイン	中国語	日本語
1	1 + 2	xīn qín	辛勤	努力
2	1 + 3	huān xǐ	欢喜	喜び
3	1 + 3	xīn kǔ	辛苦	苦労
4	1 + 3	zhōng diǎn	终点	終点
5	1 + 4	chū qù	出去	出て行く
6	1 + 4	fēng fù	丰富	豊かな
7	1 + 4	tōng xiàng	通向	通じる
8	1 + 4	zhī dào	知道	わかる
9	2 + 4	jié jìng	捷径	近道
10	2 + 4	péi bàn	陪伴	伴う
11	2 + 4	xué huì	学会	習得する
12	3 + 1	hěn duō	很多	たくさん
13	3 + 3	kě yǐ	可以	～できる
14	3 + 3	zhǐ yǒu	只有	ただ～のみ
15	3 + 4	xiǎng xiàng	想像	想像
16	4 + 2	jìn lái	进来	入ってくる
17	4 + 3	hàn shuǐ	汗水	汗；努力
18	4 + 3	wài yǔ	外语	外国語
19	4 + 3	zì jǐ	自己	自分
20	4 +軽	lù shang	路上	道；途中

3 正しい四声で発音できるか、テキストを見ないで、音声を聞きながら、シャドーイングしてみましょう。復唱のためのポーズがあるので活用してください。

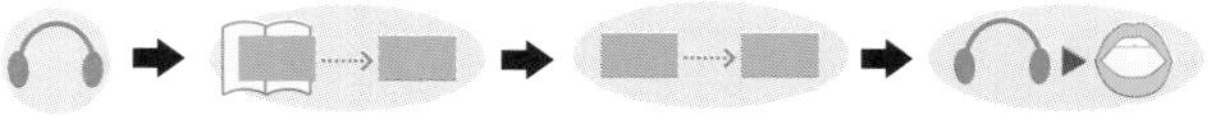

Track 296 / 297

Xué wàiyǔ yǒu hěn duō mén, cóng nǎr dōu kěyǐ jìnlái. Dàn yǒu méiyǒu jiéjìng? Zhǐyǒu zǒuchūqù de rén cái zhīdào.

Tōngxiàng zhōngdiǎn de lù, yǒu cháng yǒu duǎn, yǒu kuān yǒu zhǎi, yǒu huǎn yǒu jí, yǒu qū yǒu zhí. Lùshang de xīnxīnkǔkǔ、huānhuānxǐxǐ, shíshíkèkè péibànzhe nǐ.

Měi ge xuéhuì wàiyǔ de rén dōu yǒu zìjǐ de lù, shì kào xīnqín de hànshuǐ hé fēngfù de xiǎngxiàng, yí bù yí bù zǒuchūlái de.

4 意味を考えながらシャドーイングした後、音読してみましょう。できれば録音して正しい四声で読んでいるか確認しましょう。

Track 296 / 297

学外语有很多门，从哪儿都可以进来。但有没有捷径？只有走出去的人才知道。

通向终点的路，有长有短，有宽有窄，有缓有急，有曲有直。路上的辛辛苦苦、欢欢喜喜，时时刻刻陪伴着你。

每个学会外语的人都有自己的路，是靠辛勤的汗水和丰富的想像，一步一步走出来的。

[中国語　横シャフル 縦シャフルの順番]

● **Part1 Unit1** p.25

[横シャフル] Track 007

①她来 → ②她写 → ③她说 → ④她做 → ⑤谁写 → ⑥谁做 → ⑦谁说 → ⑧谁来

⑨我说 → ⑩我写 → ⑪我来 → ⑫我做 → ⑬要来 → ⑭要做 → ⑮要写 → ⑯要说

[縦シャフル] Track 008

①谁说 → ②她说 → ③我说 → ④要说 → ⑤我来 → ⑥要来 → ⑦她来 → ⑧谁来

⑨要写 → ⑩谁写 → ⑪我写 → ⑫她写 → ⑬她做 → ⑭要做 → ⑮谁做 → ⑯我做

● **Part1 Unit2** p.31

[横シャフル] Track 018

①多买 → ②多看 → ③多听 → ④多学 → ⑤难学 → ⑥难买 → ⑦难看 → ⑧难听

⑨好看 → ⑩好听 → ⑪好学 → ⑫好买 → ⑬快听 → ⑭快看 → ⑮快买 → ⑯快学

[縦シャフル] Track 019

①难听 → ②多听 → ③快听 → ④好听 → ⑤多学 → ⑥难学 → ⑦快学 → ⑧好学

⑨好买 → ⑩快买 → ⑪多买 → ⑫难买 → ⑬快看 → ⑭好看 → ⑮难看 → ⑯多看

● **Part1 Unit3** p.37

[横シャフル] Track 029

①喝水→ ②喝汤 → ③喝药 → ④喝茶 → ⑤还钱 → ⑥还嘴 → ⑦还书 → ⑧还贷

⑨请坐 → ⑩请写 → ⑪请来 → ⑫请吃 → ⑬借书 → ⑭借钱 → ⑮借住 → ⑯借笔

[縦シャフル] Track 030

①请吃 → ②借书 → ③喝汤 → ④还书 → ⑤还钱 → ⑥喝茶 → ⑦请来 → ⑧借钱

⑨请写 → ⑩还嘴 → ⑪借笔 → ⑫喝水 → ⑬喝药 → ⑭借住 → ⑮还贷 → ⑯请坐

● **Part1 Unit4** p.43

[横シャフル] Track 039

①申请 → ②交通 → ③经济 → ④出席 → ⑤文学 → ⑥环境 → ⑦节约 → ⑧联想

⑨想像 → ⑩保险 → ⑪舞台 → ⑫演说 → ⑬目标 → ⑭计划 → ⑮具体 → ⑯话题

[縦シャフル] Track 040

①目标 → ②节约 → ③演说 → ④交通 → ⑤出席 → ⑥舞台 → ⑦文学 → ⑧话题

⑨联想 → ⑩具体 → ⑪申请 → ⑫保险 → ⑬计划 → ⑭经济 → ⑮环境 → ⑯想像

● **Part1 Unit5** p.49

[横シャフル] Track 048

①喝茶 → ②天天 → ③康健 → ④身体 → ⑤捷径 → ⑥没有 → ⑦学习 → ⑧读书

⑨小孩 → ⑩宠物 → ⑪很多 → ⑫想养 → ⑬细心 → ⑭避免 → ⑮负责 → ⑯犯错

[縦シャフル] Track 049

①细心 → ②很多 → ③读书 → ④天天 → ⑤小孩 → ⑥学习 → ⑦喝茶 → ⑧负责

⑨身体 → ⑩想养 → ⑪避免 → ⑫没有 → ⑬捷径 → ⑭康健 → ⑮犯错 → ⑯宠物

● **Part2 Unit1** p.65

[横シャフル] Track 070

①真新奇 → ②真舒适 → ③真辛苦 → ④真轻松 → ⑤真难写 → ⑥真难听→ ⑦真难念 → ⑧真难学

⑨真好看 → ⑩真好玩 → ⑪真好写 → ⑫真好吃 → ⑬真气人 → ⑭真羡慕 → ⑮真放心 → ⑯真不巧

[縦シャフル] Track 071

①真好吃 → ②真轻松 → ③真放心 → ④真难听 → ⑤真新奇 → ⑥真气人 → ⑦真难学 →⑧真好玩

⑨真不巧 → ⑩真难写 → ⑪真好写 → ⑫真辛苦 → ⑬真难念 → ⑭真好看 → ⑮真舒适 → ⑯真羡慕

● **Part2 Unit2** p.71

[横シャフル] Track 079

①没喝水 → ②没通知 → ③没出门 → ④没吃饭 → ⑤没逃跑 → ⑥没迟到→ ⑦没抬头 → ⑧没回家

⑨没旅行 → ⑩没准备 → ⑪没买车 → ⑫没打扫 → ⑬没上班 → ⑭没报警 → ⑮没遇到 → ⑯没复习

[縦シャフル] Track 080

①没回家 → ②没买车 → ③没上班 → ④没通知 → ⑤没旅行 → ⑥没抬头 → ⑦没出门 →⑧没复习

⑨没喝水 → ⑩没打扫 → ⑪没报警 → ⑫没逃跑 → ⑬没迟到 → ⑭没吃饭 → ⑮没遇到 → ⑯没准备

● **Part2 Unit3** p.77

[横シャフル] Track 088

①想搬家 → ②想吃饭 → ③想偷懒 → ④想冲凉 → ⑤想游泳 → ⑥想回去→ ⑦想学习 → ⑧想结婚

⑨想养狗 → ⑩想整容 → ⑪想毁约 → ⑫想请假 → ⑬想跳舞 → ⑭想唱歌 → ⑮想睡觉 → ⑯想上学

［縦シャフル］Track 089
①想结婚 → ②想搬家 → ③想唱歌 → ④想毁约 → ⑤想整容 → ⑥想上学 → ⑦想冲凉 →⑧想学习
⑨想偷懒 → ⑩想跳舞 → ⑪想养狗 → ⑫想游泳 → ⑬想回去 → ⑭想请假 → ⑮想睡觉 → ⑯想吃饭

● Part2 Unit4 p.83

［横シャフル］Track 097
①去交钱 → ②去参赛 → ③去参观 → ④去喝酒 → ⑤去骑马 → ⑥去拿信→ ⑦去求情 → ⑧去维修
⑨去理发 → ⑩去打听 → ⑪去洗碗 → ⑫去旅行 → ⑬去上班 → ⑭去拜访 → ⑮去上课 → ⑯去拜年
［縦シャフル］Track 098
①去维修 → ②去参观 → ③去上班 → ④去打听 → ⑤去旅行 → ⑥去拜年 → ⑦去求情 →⑧去交钱
⑨去拜访 → ⑩去骑马 → ⑪去洗碗 → ⑫去喝酒 → ⑬去拿信 → ⑭去上课 → ⑮去参赛 → ⑯去理发

● Part3 Unit1 p.97

【介詞】
［横シャフル］Track 117
①给你写信 → ②用汉语说 → ③和他吵架 → ④跟妈妈去 → ⑤和他商量 → ⑥用铅笔写→ ⑦跟老师学 → ⑧给她补课
［縦シャフル］Track 118
①跟妈妈去 → ②跟老师学 → ③和他商量 → ④和他吵架 → ⑤给你写信 → ⑥给她补课 → ⑦用汉语说 →⑧用铅笔写
【助動詞】
［横シャフル］Track 119
①得努力学 → ②能说汉语 → ③会打网球 → ④该讲道理 → ⑤该懂礼貌 → ⑥会写汉字→ ⑦能去学校 → ⑧得认真听
［縦シャフル］Track 120
①该懂礼貌 → ②该讲道理 → ③能去学校 → ④能说汉语 → ⑤得努力学 → ⑥得认真听 → ⑦会写汉字 →⑧会打网球

● Part3 Unit2 p.103

［横シャフル］Track 131
①遇见熟人 → ②写完作业 → ③学会游泳 → ④吃完早饭 → ⑤找到错误 → ⑥闻到味道→ ⑦听完广播 → ⑧看见车祸
⑨抓到把柄 → ⑩治好感冒 → ⑪写错号码 → ⑫填错表格 → ⑬拿错雨伞 → ⑭收到回信 → ⑮做好晚饭 → ⑯打错电话
［縦シャフル］Track 132
①吃完早饭 → ②抓到把柄 → ③听完广播 → ④收到回信 → ⑤拿错雨伞 → ⑥填错表格 → ⑦闻到味道 →⑧学会游泳
⑨写错号码 → ⑩打错电话 → ⑪写完作业 → ⑫找到错误 → ⑬做好晚饭 → ⑭遇见熟人 → ⑮看见车祸 → ⑯治好感冒

● Part3 Unit3 p.109

［横シャフル］Track 140
①睡得香甜 → ②跑得飞快 → ③穿得太多 → ④玩得痛快 → ⑤吃得不少 → ⑥跳得很高→ ⑦讲得明白 → ⑧流得顺畅
⑨疼得厉害 → ⑩长得可爱 → ⑪记得扎实 → ⑫说得流利 → ⑬写得优美 → ⑭听得清楚 → ⑮爬得很高 → ⑯做得漂亮
［縦シャフル］Track 141
①吃得不少 → ②听得清楚 → ③说得流利 → ④穿得太多 → ⑤玩得痛快 → ⑥疼得厉害 → ⑦爬得很高 →⑧流得顺畅
⑨写得优美 → ⑩讲得明白 → ⑪跑得飞快 → ⑫长得可爱 → ⑬记得扎实 → ⑭做得漂亮 → ⑮跳得很高 → ⑯睡得香甜

● Part3 Unit4 p.115

［横シャフル］Track 149
①叫出名字 → ②走出国门 → ③拿出手机 → ④猜出结果 → ⑤收回欠款 → ⑥带回蔬菜→ ⑦拿回钥匙 → ⑧走回宾馆
⑨举起杯子 → ⑩跳起街舞 → ⑪穿起旗袍 → ⑫拿起课本 → ⑬拿进房间 → ⑭听进劝说 → ⑮走进大楼 → ⑯记进帐本
［縦シャッフル］Track 150
①穿起旗袍 → ②收回欠款 → ③听进劝说 → ④猜出结果 → ⑤拿回钥匙 → ⑥拿进房间 → ⑦拿出手机 →⑧拿起课本
⑨走进大楼→ ⑩走出国门 → ⑪举起杯子 → ⑫走回宾馆 → ⑬叫出名字 → ⑭跳起街舞 → ⑮带回蔬菜 → ⑯记进帐本

● Part4 Unit1 p.129

［横シャッフル］Track 169
①吃不完的饭 → ②英文读不懂 → ③加班回不来 → ④茶杯够不着 → ⑤读不完的书 → ⑥着急打不开
⑦早上起不来 → ⑧腿疼跑不动 → ⑨走不完的路→ ⑩下雨出不去 → ⑪做不完的事 → ⑫作业记不住
［縦シャフル］Track 170
①做不完的事 → ②走不完的路 → ③读不完的书 → ④吃不完的饭 → ⑤早上起不来 → ⑥加班回不来
⑦下雨出不去 →⑧着急打不开 → ⑨茶杯够不着 → ⑩腿疼跑不动 → ⑪英文读不懂 → ⑫作业记不住

● Part4 Unit2 p.135

［横シャフル］Track 178
①他让我看家 → ②教他学汉语 → ③天气暖和了 → ④还同学词典 → ⑤不去送报了 → ⑥留他吃顿饭
⑦请他喝咖啡→ ⑧找到工作了 → ⑨请老师讲课→ ⑩看到新闻了 → ⑪让他买盒饭 → ⑫借他三百元
［縦シャフル］Track 179
①找到工作了 → ②天气暖和了 → ③看到新闻了 → ④不去送报了 → ⑤请老师讲课 → ⑥还同学词典
⑦教他学汉语 →⑧借他三百元 → ⑨留他吃顿饭 → ⑩请他喝咖啡 → ⑪让他买盒饭 → ⑫他让我看家

● **Part4 Unit6** p.159

[横シャフル] Track 196

①喝一杯怎样 → ②希望能再见 → ③今天天气好 → ④门票多少钱 → ⑤学习紧张吗 → ⑥来一份米饭
⑦你吃饭了吗→ ⑧请给我这个 → ⑨请问这是哪儿→ ⑩去那儿怎么走 → ⑪这个很辣吗 → ⑫最近怎么样

[縦シャフル] Track 197

①你吃饭了吗 → ②今天天气好 → ③学习紧张吗 → ④最近怎么样 → ⑤门票多少钱 → ⑥请问这是哪儿
⑦去那儿怎么走 →⑧希望能再见 → ⑨来一份米饭 → ⑩这个很辣吗 → ⑪喝一杯怎样 → ⑫请给我这个

● **Part4 Unit7** p.165

[横シャフル] Track 205

①他在接电话 → ②经理在开会 → ③交款处在哪儿 → ④您请等一下 → ⑤能便宜点儿吗 → ⑥您还满意吗
⑦请您包一下→ ⑧我在写报告 → ⑨我帮您转接→ ⑩谢谢您关照 → ⑪这是报税单 → ⑫这个多少钱

[縦シャッフル] Track 206

①这个多少钱 → ②交款处在哪儿 → ③请您包一下 → ④能便宜点儿吗 → ⑤您还满意吗 → ⑥这是报税单
⑦他在接电话 →⑧我帮您转接 → ⑨我在写报告→ ⑩谢谢您关照 → ⑪您请等一下 → ⑫经理在开会

[日本語⇨中国語　シャフルの順番]

● **Part1 Unit1** p.26　Track 012

①誰が来る　谁来 → ②彼女が書く　她写 → ③彼女が言う　她说 → ④誰が言う　谁说 → ⑤私はする　我做 → ⑥私は書く　我写 → ⑦言いたい　要说 → ⑧彼女がする　她做→ ⑨私は来る　我来→⑩来たい　要来 → ⑪彼女が来る　她来 → ⑫誰が書く　谁写 → ⑬誰がする 谁做 → ⑭書きたい　要写 → ⑮したい　要做→ ⑯ 私は言う 我说

● **Part1 Unit2** p.32　Track 023

①たくさん聞く 多听→②聞いて心地よい 好听→③学びにくい 难学→④たくさん読む 多看→⑤買いやすい 好买→⑥醜い 难看→⑦早く学ぶ 快学→⑧たくさん買う 多买→⑨早く聞く 快听→⑩たくさん学ぶ 多学→⑪聞きづらい 难听→⑫買いにくい 难买→ ⑬美しい 好看→⑭早く買う 快买→⑮学びやすい 好学→⑯早く読む 快看

● **Part1 Unit3** p.38　Track 034

①食べてください 请吃→②お茶を飲む 喝茶→③薬を飲む 喝药→④ペンを借りる 借笔→⑤お金を返す 还钱→⑥スープを飲む 喝汤→⑦ローンを返す 还贷→⑧来てください 请来→⑨本を借りる 借书→⑩口答えをする 还嘴→⑪お金を借りる 借钱→⑫本を返す 还书→⑬書いてください 请写→⑭座ってください 请坐→⑮家に泊まらせてもらう 借住→⑯水を飲む 喝水

● **Part1 Unit4** p.44　Track 043

①経済 经济→②目標 目标→③交通 交通→④具体 具体→⑤文学 文学→⑥申請 申请→⑦環境 环境→⑧演説 演说→⑨連想 联想→⑩節約 节约→⑪出席 出席→⑫想像 想像→⑬舞台 舞台→⑭計画 计划→⑮話題 话题→⑯保険 保险

● **Part1 Unit5** p.50　Track 056

①健康 康健→②注意深い 细心→③毎日 天天→④読書 读书→⑤ない 没有→⑥過ちを犯す 犯错→⑦体 身体→⑧お茶を飲む 喝茶→⑨子ども 小孩→⑩学習 学习→⑪たくさん 很多→⑫近道 捷径→ ⑬飼いたい 想养→⑭責任を取る 负责→⑮ペット 宠物→⑯避ける 避免

● **Part2 Unit1** p.66　Track 074

①本当においしい 真好吃→②本当に大変 真辛苦→③本当に読みづらい 真难念→④本当に安心だ 真放心→⑤本当にきれい 真好看→⑥本当に楽だ 真轻松→⑦本当におもしろい 真好玩→⑧本当に珍しい 真新奇→⑨本当に耳障りだ 真难听→⑩本当にあいにくなことに 真不巧→⑪本当に書きやすい 真好写→⑫本当に書きづらい 真难写→⑬本当にうらやましい 真羡慕→⑭本当にムカつく 真气人→⑮本当に心地よい 真舒适→⑯本当に勉強しづらい 真难学

● **Part2 Unit2** p.72　Track 083

①掃除していない 没打扫→②知らせていない 没通知→③会っていない 没遇到→④復習していない 没复习→⑤警察を呼んでいない 没报警→⑥ご飯を食べていない 没吃饭→⑦家に帰っていない 没回家→⑧旅行していない 没旅行→⑨出かけていない 没出门→⑩出勤していない 没上班→⑪逃げていない 没逃跑→⑫水を飲んでいない 没喝水→⑬遅刻していない 没迟到→⑭頭を上げていない 没抬头→⑮準備していない 没准备→⑯自動車を買っていない 没买车

● **Part2 Unit3** p.78　Track 092

①学校に行きたい 想上学→②引っ越したい 想搬家→③勉強したい 想学习→④寝たい 想睡觉→⑤帰りたい 想回去→⑥結婚したい 想结婚→⑦ご飯を食べたい 想吃饭→⑧歌いたい 想唱歌→⑨シャワーを浴びたい 想冲凉→⑩犬を飼いたい 想养狗→⑪約束を破りたい 想毁约→⑫泳ぎたい 想游泳→⑬休みを取りたい 想请假→⑭整形したい 想整容→⑮踊りたい 想跳舞→⑯サボりたい 想偷懒

● **Part2 Unit4** p.84　Track 101

①支払いに行く 去交钱→②授業に行く 去上课→③修理してもらいに行く 去维修→④馬に乗りに行く 去骑马→⑤試合に参加しに行く 去参赛→⑥出勤する 去上班→ ⑦聞きに行く 去打听→⑧訪ねて行く 去拜访→ ⑨手紙を取りに行く 去拿信→⑩お皿を洗いに行く 去洗碗→ ⑪酒を飲みに行く 去喝酒→⑫髪をカットしに行く 去理发→ ⑬許しをもらいに行く 去求情→⑭新年の挨拶をしに行く 去拜年→ ⑮旅行に行く 去旅行→⑯見学しに行く 去参观

● **Part3 Unit1** p.98

【介詞】 Track 125

①母と行く 跟妈妈去→②先生について勉強する 跟老师学→③あなたに手紙を書く 给你写信→④彼と相談する 和他商量→⑤鉛筆で書く 用铅笔写→⑥中国語で話す 用汉语说→⑦彼女に補習をする 给她补课→⑧彼と喧嘩する 和他吵架

【助動詞】 Track 126

①道理をわきまえるべき 该讲道理→②真剣に聞くべき 得认真听→③テニスができる 会打网球→④中国語を話せる 能说汉语→⑤礼儀をわきまえるべき 该懂礼貌→⑥漢字が書ける 会写汉字→⑦努力して勉強すべき 得努力学→⑧学校に行ける 能去学校

● **Part3 Unit2** p.104　Track 135

①匂いを嗅ぎつける 闻到味道→②夕食を作り終える 做好晚饭 →③朝食を食べ終える 吃完早饭→④番号を書き間違える 写错号码 →⑤ラジオを聞き終える 听完广播→⑥風邪が治る 治好感冒→⑦誤りを見つける 找到错误→⑧電話をかけ間違える 打错电话→⑨宿題を書き終える 写完作业→⑩（他人の）弱みをにぎる 抓到把柄→⑪交通事故を目撃する 看见车祸→⑫傘を取り間違える 拿错雨伞→⑬知り合いと出会う 遇见熟人→⑭返事をもらう 收到回信→⑮水泳をマスターする 学会游泳→⑯表を記入し間違える 填错表格

● **Part3 Unit3** p.110　Track 144

①たくさん食べる 吃得不少→②はっきり聞こえる 听得清楚→③スムーズに流れる 流得顺畅→④高く登る 爬得很高→⑤速く走る 跑得飞快→⑥流暢に話す 说得流利→⑦思いっきり遊ぶ 玩得痛快→⑧うまく処理する 做得漂亮→⑨ぐっすりと眠る 睡得香甜→⑩しっかりと覚えている 记得扎实→⑪たくさん着ている 穿得太多→⑫容姿が可愛い 长得可爱→⑬高く跳ぶ 跳得很高→⑭きれいに書く 写得优美→⑮はっきり説明する 讲得明白→⑯ひどく痛む 疼得厉害

● **Part3 Unit4** p.116　Track 153

①携帯電話を取り出す 拿出手机→②ストリートダンスを踊り始める 跳起街舞 →③国から出る 走出国门→ ④チャイナドレスを着る 穿起旗袍 →⑤借金を取り戻す 收回欠款→ ⑥ビルに入る 走进大楼→ ⑦野菜を持ち帰る 带回蔬菜→⑧部屋に持ち込む 拿进房间→ ⑨ホテルに歩いて帰る 走回宾馆→ ⑩忠告を聴き入れる 听进劝说→ ⑪鍵を取り戻す 拿回钥匙→ ⑫帳簿に記入する 记进帐本→⑬名前を呼び出す 叫出名字→ ⑭テキストを手に取る 拿起课本→ ⑮結果を当てる 猜出结果 →⑯グラスを持ち上げる 举起杯子

● **Part4 Unit1** p.130　Track 173

①食べきれないご飯 吃不完的饭→②焦っていて開けられない 着急打不开→③英文が読めない 英文读不懂→④回りきれない道 走不完的路→⑤読みきれない本 读不完的书→⑥残業で帰れない 加班回不来→ ⑦茶碗に（手が）届かない 茶杯够不着→⑧宿題が覚えられない 作业记不住→⑨朝起きられない 早上起不来→⑩雨で出かけられない 下雨出不去→ ⑪足が痛くて走れない 腿疼跑不动→⑫終わらない用事 做不完的事

● **Part4 Unit2** p.136　Track 182

①同級生に辞書を返す 还同学词典→②彼に 300 元を貸す 借他三百元→③彼に留守番をさせられる 他让我看家→④天気が暖かくなった 天气暖和了→⑤仕事を見つけた 找到工作了→⑥彼をひきとめてご飯を食べさせる 留他吃顿饭→⑦彼に弁当を買わせる 让他买盒饭→⑧彼に中国語を教える 教他学汉语→⑨新聞の配達を辞めた 不去送报了→⑩ニュースを見かけた 看到新闻了→⑪先生に講義をしてもらう 请老师讲课→⑫彼にコーヒーをおごる 请他喝咖啡

● **Part4 Unit6** p.160　Track 200

①ここはどの辺りですか 请问这是哪儿→②また会おうね 希望能再见→③これはからいですか 这个很辣吗→④勉強は忙しいですか 学习紧张吗→⑤ライスをください 来一份米饭→⑥最近いかがですか 最近怎么样→⑦これをください 请给我这个→⑧チケットはおいくらですか 门票多少钱→⑨そこへはどう行けばいいですか 去那儿怎么走→⑩一杯飲んではどうですか 喝一杯怎样→⑪ご飯を食べましたか 你吃饭了吗→⑫今日は天気がいいですね 今天天气好

● **Part4 Unit7** p.166　Track 209

①気に入られましたか 您还满意吗→②これはおいくらですか 这个多少钱→③レジカウンターはどこですか 交款处在哪儿→④マネージャーは今会議中です 经理在开会→⑤今レポートを書いております 我在写报告→⑥少し安くできますか 能便宜点儿吗→⑦彼は今電話に出ております 他在接电话→⑧これは関税申告の明細表です 这是报税单→⑨おつなぎします 我帮您转接→⑩お気遣いいただき有り難うございます 谢谢您关照→⑪少々お待ち下さい 您请等一下→⑫包んでもらえますか 请您包一下

胡　興智（コ　コーチ）

中国天津市出身。東京外国語大学日本語科卒業、東京学芸大学大学院教育研究科修了。関東国際高校講師を経て、日中学院専任講師、上智大学講師。

幼い頃、魯迅先生の『藤野先生』に感銘を受け、教師を志し、来日後、日本文化を習いながら、中国文化を紹介する仕事に携わっています。

「教えず教え、学ばず学ぶ」授業、「学び合い、教え合う」クラス作りを目指しながら、学生と一緒に学ぶことを楽しんでいます。

趣味は、いけばな（草月流）。日本人の美的感覚を知り、日本文化について深く理解することで、相互理解に少しでも力になれればと思っています。

中国語らしい発音になる！
四声完全マスター

2020年1月10日　第1版第1刷発行

著者：胡　興智

協力：張　好、呂　叢

装丁：松本田鶴子

イラスト：浅山友貴

校閲：古屋順子

ナレーション：胡　興智、容　文育、呂　叢、矢島雅弘

発行人：坂本由子
発行所：コスモピア株式会社
〒151-0053　東京都渋谷区代々木4-36-4　MCビル2F
営業部：TEL: 03-5302-8378 email: mas@cosmopier.com
編集部：TEL: 03-5302-8379 email: editorial@cosmopier.com
https://www.cosmopier.com/
https://www.e-st.cosmopier.com/
https://www.e-ehonclub.com/

印刷：シナノ印刷株式会社

音声編集：塩沢　正

本書のご意見・ご感想をお聞かせください。

本書をお買い上げいただき、誠にありがとうございます。

今後の出版の参考にさせていただきたいので、ぜひ、ご意見・ご感想をお聞かせください。（PC またはスマートフォンで下記のアンケートフォームよりお願いいたします）

アンケートにご協力いただいた方の中から抽選で毎月 10 名の方に、コスモピア・オンラインショップ（https://www.cosmopier.net/shop/）でお使いいただける 500 円のクーポンを差し上げます。（当選メールをもって発表にかえさせていただきます）

https://forms.gle/i6dTkEadBjejtCT27

中国語会話 超リアルパターン100＋

入門～

厳選した100文型を使いこなす力をつける

「これなら、もう知っている」、「これは簡単すぎるでしょ」というくらいやさしい表現を、頭で考えなくてもスラスラと口をついて出てくるようになるまで繰り返すことで、中国語会話のベースを作ります。本書の100の表現は、中国人が本当によく使うものだけを厳選したものです。ひとつの表現につき、5つの例文と「A→B」のやさしい会話例で練習します。単語はページの左下にまとめてリストアップしており、辞書を引く必要もありません。その表現に関連する中国の文化やマナー、類似表現の使い分けなども簡潔に説明しています。

著者：ハン・ミンイ
A5判書籍
271ページ＋MP3音声

定価 本体1,800円+税

中国語習慣をつくる1日まるごと表現600プラス

初級～

表現と文型を相互に身につけ毎日を中国語で楽しむ

歯を磨く、満員電車に乗る、タイムカードを押す、など毎日の習慣ををドンドン中国語にしていきます。朝から夜までの生活の流れ、週末の過ごし方、四季折々のできごとに加え、ブログを更新する、ツイッターでつぶやくなど、時代に即した表現も取り上げています。こんなシーンは中国語でこう表現すると覚えたら、ひとつの基本文を、肯定文、否定文、疑問文、反復疑問文、疑問詞疑問文などに変化させるトレーニングをします。さらに、たとえば「目覚まし時計が6時半に鳴る」というひとつの表現から、「あと10分寝ていたい」「まだ眠い」「寝過ごした！遅刻だあ！」などの関連表現もマスターします。

コスモピア編集部：編　福井ゆり子：協力
B6判書籍286ページ＋MP3音声

定価 本体1,800円+税

中国語作文語順完全マスター【基礎編】

初級～

文を組み立てる力をつけスピーキング力を養う

中国語の文を作ろうというときに立ちはだかる壁、「語順」を完全克服するトレーニング本。中国語の基本構造と基本文法を押さえながら、文を少しずつ長くして行きます。例文、単語練習、フレーズ組み立てトレーニングの音声を、日本語→中国語の順で付属CDに収録しています。

【第1章】動詞·助動詞【第2章】量詞·方位詞を用いる構文や所有・所在を表わす構文【第3章】助詞“的”·副詞【第4章】否定文、疑問詞・前置詞・接続詞【第5章】助詞・語気助詞【第6章】時点・時間量・動作量【第7章】連動文·兼語文·受身文·“把”【第8章】補語【第9章】動作や行為

著者：陸 偉榮
A5判書籍
207ページ＋CD1枚

定価 本体1,900円+税

中国語文法 補語完全マスター

初中級～

文法の最大の壁「補語」を完全克服！

動詞または形容詞の後ろに置かれ、さまざまな情報を補足する役割を果たす補語。本書では、実例に数多く触れて「語感を磨く」ため、説明部分はわかりやすく整理して簡潔にまとめ、そのまま覚えて使える実例をたくさん用意しました。また短い会話または文章、センテンス、並べ替えという3つのトレーニングを導入し、実用的な例文を大量にインプットして応用力を養います。例文はすべてCDに収録、赤シートを使って補語の部分を集中的に学習できるようにしています。巻末にはピンイン順の索引を掲載。
項目は結果補語、方向補語、可能補語、様態補語、程度補語、数量補語に分類。

著者：李 軼倫
A5判書籍
200ページ＋CD1枚

定価 本体2,000円+税

●直接のご注文は ➡ www.cosmopier.net/shop/